JN006045

東京大学名誉教授
本村凌二

20の古典で読み解く世界史

How to read world history
in 20 classic masterpieces

PHP

はじめに

「教養」といえば聞こえがいいが、どことなくうさん臭いところがあります。物理学や法学のような実体が感じられず、捉えどころがないせいでしょうか。でも、なにやら「教養」らしきものが身についていれば、と願いたい気分もあります。

そうであれば、そもそも「精神の知」という営みはどんなものか、という基本にまで遡(さかのぼ)ってみたくなります。それには、「身体の技」という営みと比べてみるとわかりやすいかもしれません。

ピアノの練習やテニスの練習を事例にあげてみましょう。ピアノの練習の場合、基本は同じ曲をくりかえし弾いてみることでしょう。ショパンの「ピアノ・ソナタ第3番」であれば、それを弾けば弾くほど、指の運びがなめらかになるはずです。さらにくりかえすことで、楽譜どおりに演奏するだけでなく、自分好みの強弱や濃淡をつけることすらできるでしょう。また、テニスの技術の習得であっても、同じパターンをくりかえし練習することが基本です。ラケットの素振り、球を壁に当てて返ってきた球を打ち返す、サーブの練習、誰かを相手にしたラリーなどを何度もやってみることです。やがて、練習試合にのぞんで練習の成果を実践してみるのです。これらのパターンをくりかえし、その経験を重ねれば重ねるほど上達するにちがいありません。

ところが、精神の知の営みについては、事情は同じではありません。たとえば、宇宙の構造について知るとなると、相対性理論や量子力学ばかりでなく、人間の認識能力に関しても理解しておく必要があるでしょう。あるいは人間の国家・社会について知るとなると、法学や経済学ばかりでなく、社会学、歴史学、人類学などの学識が必要になります。わかりやすくたとえれば、精神の営みは、積木のように同一の場所にひたすら積み上げていったのでは、またたく間に崩れ落ちて消え失せてしまいます。

そうならないように高く積み上げるには、まず裾野を拡げることです。裾野に広く輪を作り、だんだんと円錐(えんすい)形を築くかのように、高く積み上げていくのです。そうすれば、高みにいたるまで崩れることなく積み重ねられるはずです。この裾野が「教養」とよばれるものではないでしょうか。このような精神の知の営みについては、私自身の経験からもいえますが、なによりもすでに近代初期の哲学者デカルトが『精神指導の規則』の冒頭で語っていることです。

そのような裾野である教養とは、どのようなものなのでしょうか。この問題については、おそらく人生（学識ばかりではない！）経験者によってさまざまな答えがあると思います。それを承知の上で、あえて私見を述べさせてもらえば、「古典と歴史」に尽きると思います。

ここで古典というのは、世界文学史上の名高い古典作品とお考えください。もちろん、自然科学あるいは人文・社会科学の古典もありますが、ここでは多くの人々に親しみやすい文芸作品にかぎることにします。

これらの古典は、たとえその題名なら誰もが知っているような作品だとしても、意外とほとんどの人が手にとったことがなく、まして読了したことがないようなものではないでしょうか。たとえば、十四世紀のダンテ作『神曲』、十七世紀のセルバンテス作『ドン・キホーテ』などは高校の『世界史』の教科書にすらその題名があげられていながら、紐解いた人はきわめて少ないように見えます。また、日本人にはかなり親しまれている『三国志演義』であっても、劇画や吉川英治らの翻案による作品で読んだのであって完訳本を読了した人もまた多くないように見受けられます。

十代半ばで読書癖がついた筆者は、とくに若い頃は文芸作品を中心に読んできました。西洋古代史という専門研究が固まるにつれ、それに隣接する人文・社会科学の古典にも親しむようになりましたが、なんといっても文芸作品の古典ほど心魅かれるものはありません。永く風雪に耐えて生き残ってきた古典は、ずっしりと重い経験を読者の心に刻みます。

それとともに、大事なことは、人類の経験に目を向けることです。今日にいたっても、個人の経験はせいぜい百年にも足りません。しかし、世界史（日本史を含む）に注目すれば、人類の経験は五千年に広がります。これら世界史に圧縮された人類の経験に耳をかたむけ、そこから学ぶことは精神の知の裾野である「教養」の核をなすものと思います。

かくして、「重厚な読書経験を刻みこむ古典」と「人類の経験が圧縮された世界史」により、「教養」は培われる、と筆者は確信しています。

筆者は、東京大学教養学部・早稲田大学国際教養学部などで、四十年近く主として教養教育にたずさわってきました。本書は「古典と世界史」という「教養」のエッセンスになるものをめぐって、「古典」をその背景をなす「歴史」として語ろうとする試みの一つです。本書の読者が「古典」そのものを手にとって読んでいただければ、それに過ぎる喜びはありません。

二〇二一年七月吉日

本村凌二

20の古典で読み解く世界史　目次

01 イリアス／オデュッセイア――ホメロス

『イリアス』

『オデュッセイア』

02

史記列伝――司馬遷

03

英雄伝――プルタルコス

04
三国志演義……羅貫中

05
神曲……ダンテ

06

デカメロン……ボッカッチョ

07

ドン・キホーテ……セルバンテス

12 ゴリオ爺さん……バルザック

13

大いなる遺産　ディケンズ

14

戦争と平和　トルストイ

17 山猫……ランペドゥーサ

18

阿Q正伝……魯迅

19

武器よさらば……ヘミングウェイ

20 ペスト……カミュ

01/20

イリアス／オデュッセイア

ホメロス

Homēros（生没年不詳）。紀元前8世紀に活躍したイオニア出身の盲目の吟遊詩人だとされるが、生没年、生地、生涯など様々な伝承があり、いまだ謎に包まれている。

世界が生まれ、ホメーロスが歌う。

この夜明けの鳥である。

ヴィクトル・ユーゴー(1802〜1885)

『ウィリアム・シェイクスピア』(未邦訳)より

紀元前八世紀のギリシアの吟遊詩人ホメロスの作とされる、『イリアス』と『オデュッセイア』が、西洋文学の源に位置する傑作であることに異論を唱える人はいないだろう。ともに二四歌からなるこの長編吟遊詩は、古代ギリシアの詩の神ムーサへの祈りの言葉から始まる。『イリアス』は、紀元前十二世紀にトロイア王国と古代ギリシアとの間で行われた、トロイア戦争を舞台に英雄たちの奮闘を、その続編ともいえる『オデュッセイア』は、ギリシア軍の知将オデュッセウスが、トロイア戦争から祖国イタカ島に帰還するまでの冒険を、ドラマチックに歌い上げる。まだ人間に神々の声が聞こえたこの時代、すべての出来事には、神々の思惑と人々の思いが複雑に絡み合っていた。

まだ「文字がなかった時代」の物語

最初に紹介するのは、古代ギリシアで活躍した吟遊詩人ホメロスの作と伝えられる叙事詩『イリアス』と『オデュッセイア』です。

二つの作品は、共通する登場人物を有する、連作ともいえる作品で、本書では一つとして紹介します。

『イリアス』は、紀元前一二〇〇年代に起きたとされる、小アジアのトロイア王国と古代ギリシアの間で行われた「トロイア戦争」を舞台とした物語で、『オデュッセイア』は、トロイア戦争で活躍した知将オデュッセウスが、トロイア戦争終結後、故国に帰る途中で経験した数々の冒険を綴（つづ）った物語です。

タイトルの『イリアス』は、古代ギリシアにおけるトロイアの異名で、『オデュッセイア』は主人公であるオデュッセウスの物語、を意味しています。

この二作品を一緒に紹介するのは、単に同じ作者の作品だからではありません。

そもそも、これらの叙事詩が本当にホメロスという一人の詩人によって作られたものなのかというと、歴史家の立場からすると、極めて疑わしいといわざるをえません。

作者とされるホメロスの生涯は不明なことが多く、実在を疑う研究者さえいます。

しかし、この二作品の古典としての価値において、作者が誰であるかということはさほど大きな問題ではありません。それは『イリアス』『オデュッセイア』誕生の背景を考えるとおわかりいただけると思います。

ホメロスが『イリアス』と『オデュッセイア』を作ったとされるのは、紀元前八世紀ですが、この時点では、まだどちらも文字で記された作品ではありませんでした。

ホメロスは盲目だったといわれていますが、そうでなかったとしても、彼は文字など一文字も知らなかったはずです。当時の吟遊詩人というのは、物語をすべて覚え、暗唱していたからです。彼らは、言葉が音でしかなかった時代の人たちなのです。

また、吟遊詩はライブ・パフォーマンスなので、観客の反応に合わせてアドリブを入れることもあったはずです。基本のストーリーはあったとしても、細かな脚色や演出は、常に行われるのが当たり前だったのです。

当時は著作権という概念もありませんから、その物語を最初に作ったのがホメロスだったとしても、人気のある物語は、多くの吟遊詩人が、観客の求めに応じて披露したことでさまざまな改編がその都度なされていたと考えられます。

これは、日本でたとえるなら、かつての浪曲や講談のようなものです。

講談もそれぞれ得意な演目があるように、おそらく古代ギリシアには、『イリアス』『オデュッセイア』を得意とする「ホメロス団」とでもいうような吟遊詩人の団体があり、そこに属する詩人たちが、顧客の要望に応じて、『イリアス』『オデュッセイア』のさまざまな場面を、演じたのではないかと考えられます。

そうした「音声」でしかなかった詩が、「文字」として記録されたのは、ホメロスが活躍した時代の約二百年後、紀元前六世紀後半のことです。

当時、ギリシアには多くの都市国家「ポリス」が繁栄していました。その中心ともいうべきアテネは、ペイシストラトス（前六〇〇頃〜前五二八、二度の追放を経て、政権に復帰。農業、商工業を発展させ、アテネ発展に尽くした）という僭主（せんしゅ）が治めていました。

僭主というと、独裁者のイメージがつきまとうため、悪者のように見られることが多いのですが、アテネのペイシストラトスは、のし上がっていく過程でこそかなり暴力的なことをしていますが、為政者としては、アテネの国力を高めることに尽力した非常に優秀な人物です。このペイシストラトスの命によって、『イリアス』『オデュッセイア』は、口承に任せて失われてしまうことがないようにと、文字として書き留められたのです。

この文字化によって、それまで自由に改編・脚色されてきた吟遊詩は、「物語」として確定されることになりました。

『イリアス』『オデュッセイア』の価値は、西洋文学の源泉に位置するという古典文学的価値だけではありません。実は、歴史史料としても大きな価値をもっているのです。というのは、この二作品を見比べることで、非常に興味深い、古代史の大きな転換点を見ることができるからです。

その歴史的な価値について述べる前に、まずは『イリアス』と『オデュッセイア』がどのような物語なのか、ということに触れておきましょう。

『イリアス』

舞台となっているのは「トロイア戦争」

『イリアス』は、ギリシアに都市国家「ポリス」が生まれる約四百～五百年ほど前、歴史学的にいうと、「ミケナイ文明」といわれる時代に、エーゲ海を挟んで東岸の小アジア半島（現在のトルコ）に位置するトロイア王国と、西岸に位置するギリシアの間で行われた「トロイア戦争」を舞台とした物語です。

『イリアス』は長編ですが、その内容は、約十年にわたって争われたトロイア戦争の最後の一年のわずか五十日間の物語です。とはいえ、物語はたびたび過去に遡りながら展開していくので、十年にわたるトロイア戦争の全貌はきちんとわかる構成になっています。

トロイア戦争のきっかけは、トロイア王国の王子パリスがスパルタを訪問した際に、スパルタ王メネラオスの妃（きさき）である、絶世の美女ヘレン（ヘレネー）に心を奪われ、彼女を母国にさらっていってしまったことでした。

妻をさらわれて怒ったメネラオスは、妃奪還のための戦いを起こします。

この本来ならスパルタ王メネラオスと、トロイア王国の王子パリスとの間の戦い、つまり単なるスパルタとトロイアの間の戦いにギリシア全土が巻き込まれることになったのは、メネラオスの兄アガメムノンが、当時のギリシア最大の大国、ミケナイ王国の国王だったからでした。

対するトロイア王国も、ギリシア連合軍に対抗するために近隣諸国に助力を要請したため、この争いは、「ギリシア連合対トロイア（現トルコ）連合」という構図の大戦に発展することになりました。

ちなみに、戦いの原因となったパリスとヘレンの道ならぬ恋には、ギリシア神話で「パリスの審判」と呼ばれる神々の諍（いさか）いの前日譚（たん）が存在しています。

発端は、海の女神テティスとギリシアの英雄ペーレウスの結婚を祝う席に投げ込まれた、たった一つの黄金の林檎でした。

実はこの宴席には、すべての神々が招待されていたのですが、たった一人、結婚式には不吉だという理由で招待されなかった女神がいました。それが、不和の女神エリスでした。自分だけのけ者にされたことに怒ったエリスが、宴席に投げ込んだのが、件（くだん）の黄金の林檎だったのです。

その黄金の林檎には「最も美しい女神へ」と記されていたから大変です。祝宴は、この林檎を取り合う三人の女神による諍いの場になってしまいました。

林檎の所有権を主張したのは、最高神ゼウスの妻ヘラ、戦いの女神アテナ、そして、美の女神アフロディテの三人。もちろん誰を選んでも角が立ちます。譲らない三女神に審判を迫られて困ったゼウスは、あろうことか、当時羊飼いをしていたトロイアの王子パリスにこの判断を委ねてしまいます。

すると、三人の女神は、それぞれに「私を選んでくれたらこれを与えよう」と、褒美を提示します。

ヘラは「誰にも犯されることのない君主の座」を、アテナは「戦いにおける勝利」を、アフロディテは「最も美しい女」を与えることを約束します。

この提示を受けたパリスが黄金の林檎を手渡したのは、美の女神アフロディテでした。そして、アフロディテが約束としてパリスに与えた「最も美しい女」が、スパルタ王の妃ヘレンだったというわけなのです。

英雄アキレウスの不参戦で、膠着する戦い

ギリシア勢は当初、それなりの戦力を誇っていたので、自分たちが攻めていけば、トロイアなど一気に叩き潰せると思っていました。しかし実際は、そう簡単にはいかず、戦闘は十年の長きに及びます。

戦いが長引いた最大の原因は、ギリシア最大の勇者と謳われるアキレウスと、ギリシア軍の総帥アガメムノンの関係が悪化し、アキレウスが戦線から撤退してしまったことでした。

もともとアキレウスは、この戦争には反対の意を示していました。女一人を取り合うための戦争など、くだらないと思っていたからです。しかし、知将として名高いオデュッセウスに説得され、仕方なく参戦を決めたのでした。

アキレウスの参戦もあって、最初はギリシア軍が戦いを優勢に進めていました。しかし、そうしたなか、一人の女性をめぐって、アキレウスとアガメムノンが諍いを起こし、アキレウスは戦闘への参加を拒否してしまうことになるのです。

そして、この二人の諍いの陰にも、実は神々が関わっていたのでした。

二人が諍いを起こす少し前、ギリシア軍はとある戦闘で細やかな勝利を収め、戦利品を得たのですが、その中には、ゼウスの息子であり太陽神でもあるアポロンの神官クリューセースの娘クリューセーイスが含まれていました。

クリューセースは貢ぎ物を持参して娘の返還を懇願しますが、アガメムノンはこれを拒否。嘆き悲しんだクリューセースは、自らが仕える神アポロンに、非道なギリシア軍が報いを受けるようにと祈ります。

この祈りを聞き入れたアポロンは、ギリシア軍に疫病の矢を打ち込み、多くのギリシア兵がこの矢によって命を失ってしまいます。

この惨状を見たアキレウスは、アポロンの怒りを鎮めるために、アガメムノンにクリューセーイスの返還を提案します。すると、アガメムノンは、返還に応じる代償として、アキレウスが戦利品として得て以来、愛妾（あいしょう）としていたブリーセーイスを差し出すよう強要してきたのです。そして、アキレウスがこれを拒むと、アガメムノンは無理矢理ブリーセーイスを奪っていってしまいました。

アガメムノンに愛妾を奪われたアキレウスは怒り、それ以来戦闘に参加するのをやめてしまいました。

さらにアキレウスは、母である女神テティスに、トロイア軍に加勢し、アガメムノンにアキレウスを怒らせたことを後悔させるよう祈ります。テティスはこの願いを聞き入れ、勇者アキレウスを欠いたギリシア軍は、苦しい戦いを続けていくことになるのです。

そうしたなかで、これはある意味当然の帰結だと思うのですが、いっそのことスパルタ王メネラオスとトロイアの王子パリスの一騎打ちで勝敗を決めればいいのではないか、という流れが生まれます。

ところが、いざ二人を戦わせ、メネラオスがかなり優勢になって勝利を収めそうになると、美の女神アフロディテがパリスを助けてしまうので、勝敗がきれいにつきません。なぜここでアフロディテがパリスに加勢するのかというと、そもそも戦争の原因となったヘレンをパリスに与えたのが、他ならぬアフロディテだったからです。

このように神々の介入もあり、決着がつかないままトロイア戦争は、十年目に突入してしまったのです。

意外な『イリアス』の結末

『イリアス』の物語は、一進一退を繰り返すいくつもの戦いで、多くの英雄たちが活躍したトロイア戦争の最後の一年の、さらに最後の五十日というところから始まります。

なぜここから物語がスタートするのかというと、おそらく、ついにこの物語の主人公ともいうべき英雄アキレウスが、戦線に復帰することになるからだと思います。

彼が戦線に復帰するきっかけとなったのは、親友パトロクロスの戦死でした。

ある日、頑なに戦線復帰を拒み続けるアキレウスのもとを、親友のパトロクロスが訪れます。パトロクロスは、ギリシア軍の窮状を訴え、アキレウスにともに戦ってくれるように頼みますが、アキレウスはどうしても首を縦に振りません。

そこで、仕方なくパトロクロスは、アキレウスの鎧だけを借り受けて、戦線に戻っていきました。

アキレウスの鎧を着たパトロクロスの姿を見たギリシア勢は、ついに我らが英雄アキレウスが戦線に復帰したと喜び、トロイア勢を追い詰めていきます。しかし、パトロクロスはこの戦いで、トロイアの王子にして勇者でもあるヘクトールによって討たれ、アキレウスの鎧も奪われてしまいます。

親友パトロクロスの戦死の報に、アキレウスは深く嘆き、ついに、ヘクトールへの復讐のために戦場に戻ることを決意します。

アキレウスの復帰によって、戦況は一気に逆転。ついに、アキレウスはヘクトールとの一騎打ちに持ち込みます。

母である女神テティスによって不死身の体を授けられていたアキレウスと、トロイア最強の勇者ヘクトールの一騎打ち。その壮絶な戦いに勝利したのは、アキレウスでした。

ところが、パトロクロスを殺された恨みがあまりにも深かったアキレウスは、ヘクトー

ヘクトールの遺体を引きずるアキレウス（ドメニコ・クネーゴ作）

ルが死んでもまだ気が収まらず、あろうことか、ヘクトールの遺体を自らの戦車の後ろに結びつけ、戦場を引きずり回したあげく、自陣に持ち帰ってしまったのです。

ヘクトールはトロイアの王子であり、勇者です。トロイアの人々は、命を落としたのは、戦場で戦った末のことなので仕方ないものの、せめて遺体だけは帰してほしいと嘆きました。その夜、一人の男がアキレウスの陣を訪れます。

それは、トロイアの王プリアモスでした。

敵の総大将が、召使いを一人連れただけで敵陣に入っていくのですから、それはまさに命がけの行為です。普通ではとても不可能な行為ですが、『イリアス』では、神々の加護を受けて、プリアモスはなんとかアキレウスのもとにたどり着きます。そして、「息子の遺体を返してほしい」とアキレウスに頼みます。

アキレウスは、プリアモスの言葉に自分の父親のことを思い出し、父親の子供に対する強い思いに胸を打たれ、ヘクトールの遺体をトロイアに返すことを約束します。

そして、ギリシア軍では、まだ行っていなかったパトロクロスの葬儀を行い、トロイア側ではヘクトールの葬儀を行う。その間は互いに休戦することも約束します。

しかし、これはあくまでも葬儀のための休戦です。

トロイア戦争の決着はまだついていません。もちろん両陣営ともこのまま引き下がるわけにはいきません。

休戦期間が終わり、「さあ戦闘再開だ」と両軍の士気は高まっていきました。

意外に思われるかもしれませんが、実は、『イリアス』はここで終わっているのです。

トロイア戦争といったとき、多くの人が真っ先に思い出すであろう、有名な「トロイアの木馬」のエピソードは、『イリアス』には登場しないのです。

では、トロイアの木馬によってトロイア王国が滅亡する物語はどこに書かれているのかというと、『オデュッセイア』の中なのです。なぜなら「トロイアの木馬」と称される計略は、オデュッセウスが立てた作戦だったからです。

ヘクトールの死後、再開した戦闘では、トロイアにアマゾネスやエチオピアが加勢するものの、不死身の強さを誇るアキレウスの活躍によって、ギリシア軍が優勢を保ちます。

ところがそのアキレウスは、なんと軟弱なパリス王子によって倒されてしまうのです。なぜ不死身のアキレウスが勇者でもないパリスに敗れたのかというと、アキレウスの唯一の弱点が「かかと」であることを知っていた太陽神アポロンが、パリスにそのことを教えて弓矢で射らせたからでした。

アキレウスを失ったギリシア軍は劣勢に追い込まれ、戦線は再び膠着（こうちゃく）します。

この膠着状態を破る手段として、知将オデュッセウスが提案したのがトロイアの木馬作戦だったのです。

この奇策によってトロイア王国は滅亡。パリスも命を落とし、ギリシア軍はヘレンを連れて凱旋します。

ちなみに、トロイアの木馬のエピソードを含むトロイア滅亡の物語を最も詳細に伝えているのは、『オデュッセウス』ではなく、古代ローマの詩人ウェルギリウス（前七〇頃〜前一九。英語名はバージル）の『アエネーイス』という叙事詩です。これは、トロイア戦争を生き残ったトロイア王国の英雄のアエネーアスを主人公とする物語です。

なぜローマの詩人がトロイア戦争の物語を、と疑問に思うかもしれませんが、実はアエネーアスは、トロイアの滅亡後、最終的にイタリア半島にたどり着き、後のローマ建国の祖となったといわれている人物なのです。

もちろん真実かどうかはわかりませんが、こうした物語が作られたということは、古代地中海世界においてトロイア王国が、ある種の権威というか、高貴な王家とみられていたということが推察できます。

実際、細かく調べていくと、ローマだけでなくさまざまな都市国家が自らのルーツにトロイアの落ち人を結びつける伝承を持っているのです。

『オデュッセイア』

オデュッセウスの故郷に帰り着くまでの冒険譚

『オデュッセイア』は、ギリシア軍がトロイア戦争で勝利を収めた後、オデュッセウスがトロイアから故郷であるイタカという島に戻る旅の途中で経験したさまざまな出来事をまとめた冒険譚です。

オデュッセウスの故郷イタカとはどこなのか。イオニア海に実在する同じ名を持つイタカ島だといわれていますが、諸説があって確定されていません。でも、物語の中のイタカ島と、実際のイタカ島にはいくつかの違いはあるものの、ギリシアの西に位置する島である点では両者は一致しています。

当時はまだ羅針盤のない時代です。船でトロイアからギリシアに帰るためには、あまり沖合に出ず、陸が見えるような位置を航行するのが航海のセオリーでした。

トロイアからイタカまでは、陸沿いにギリシア本土をぐるっと回っていくことになるので、その航海は現在と比べるとかなり遠回りになります。それでも、せいぜい二〜三週間、どんなに長くかかったとしても一カ月もあれば着くことができる距離です。

ところがオデュッセウスは、この航海に十年もの歳月を費やすことになります。

つまり、トロイア戦争に動員されたオデュッセウスは、トロイア戦争が終わるまでに十年、さらにそこから故郷に帰り着くまでにさらに十年、合計二十年もの歳月にわたり、家族と引き離されてしまうのです。

トロイア戦争に動員されたとき、オデュッセウスには、ペネロペイアという美しい妻と、まだ幼いテレマコスという息子がいました。長い戦争が終わり、一刻も早い帰国を望んだオデュッセウスが、帰り着くまでに、なぜそんなにも長い時間がかかってしまったのでしょうか。

最初のつまずきは、嵐で船が流され、ロートル族の島に漂着したことでした。この島にはロートルという木があり、その木の実は食べた人を夢の世界に誘い込み、眠らせてしまう力がありました。このことに気づいたオデュッセウスは、急いで島を離れます。

次にオデュッセウスの一行がたどり着いたのは、一つ目の巨人サイクロプスの住む島でした。

巨人に捕らえられた一行は、洞窟に閉じ込められ、一人ずつ巨人に食べられていきます。そこでオデュッセウスは、ポリュペーモスという名の巨人に酒を飲ませ、酔い潰れたところでポリュペーモスの目を潰し、その隙に島を逃げ出します。

その後もオデュッセウスは、風の神アイアロスの島や、凶悪なライストリュゴネス人の島、魔女キルケーの島などで、さまざまな危険な目に遭い、多くの部下たちを失いながらも、美声で旅人を惑わし食べてしまう怪物セイレーンの住まう海域をなんとか乗り越え、へとへとになりながらトリナキエ島にたどり着きます。

オデュッセウスとセイレーンが描かれたモザイク画（チュニジア、バルド国立博物館蔵）

トリナキエ島は、原初の神々の一人ティターン神族の太陽神ヘリオスが住む島でした。度重なる苦難でへとへとになり飢えていたオデュッセウスの一行は、何があっても決して手を出してはいけないと言われていたヘリオスの家畜に手を出してしまいます。

これに怒ったヘリオスは、ゼウスに天罰を要請します。慌てて逃げ出したオデュッセウス一行の船は、ゼウス最強の武器「雷霆（らいてい）」によって粉々にされ、海に投げ出された部下たちは一人残らず海の怪物カリュブディスに食べられてしまいました。

たった一人で十日間海を漂流したオデュッセウスは、オーギュギア島に流れ着きます。

アテナの助けとポセイドンの怒り

『オデュッセイア』は、オデュッセウスがこのオーギュギア島にいるところから始まっています。部下も船もなくし、身一つでオーギュギア島にたどり着いたオデュッセウスは、ここで島に住む海の女神カリュプソに見初(みそ)められ、引き留められるまま、七年間も滞在することになります。

カリュプソはオデュッセウスを引き留めるために、次のようにささやきました。

「人間は死ぬべき運命にあるはかない存在です。でも、神である私と一緒にいる限り、あなたは永遠の命と若さを授かります」

オデュッセウスは、この魅力的な誘いに抗(あらが)えないものの、故郷への思いも断ちがたく、涙する日々が続いていました。

その頃、イタカの島では、戦争が終わっても帰ってこないオデュッセウスの死が噂されていました。多くの人々がその噂を信じるなかで、妻のペネロペイアはオデュッセウスの生還を信じて待ち続けていました。

しかし、そんな彼女のもとには、オデュッセウスの財産とペネロペイアを我が物にしようとする欲の深い求婚者が一〇〇人以上、毎日のように押しかけていました。

彼らは毎日ペネロペイアのためにといってオデュッセウスの館に押しかけては、宴会を強いたのです。そしてペネロペイアは、求婚の返答を求められると、「自分は今、機を織っているので、これが完成したらお答えします」と言って、夜になると昼間織った布をほどくことを繰り返し、返答を延ばし延ばしにしていました。

すでに何年もそういう状態が続いていました。

そんなペネロペイアの姿を憐れんだ女神アテナは、オリュンポスの神々と、彼を故郷に帰す方法を話し合います。そもそも、オデュッセウスは故郷のイタカの島に帰りたいのに、さまざまな出来事によって、帰れないでいるのには理由がありました。

実は、オデュッセウスは海の神ポセイドンの怒りを買っていたのです。

では、いつポセイドンを怒らせてしまったのでしょう。

それは旅の序盤でたどり着いた、一つ目の巨人サイクロプスの島でのことです。ここで島から逃げ出すために、オデュッセウスが目を潰したポリュペーモスという巨人は、実はポセイドンの息子だったのです。

ポセイドンの怒りを買い故郷に帰れないオデュッセウスに、他の神々は同情的でした。

そこでアテナは、ポセイドンがオリュンポスを不在にしているときを狙って、ゼウスに嘆願し、オデュッセウスがイタカに帰国する許しを得ます。

ゼウスは、カリュプソのもとにヘルメスを使わし、オデュッセウスを帰すよう説得させます。最初はオデュッセウスを手放すことを渋ったカリュプソも、最後は船を造るのを手伝い送り出したのでした。

自分がオリュンポスを留守にしている間に、オデュッセウスが帰国の途に就いたことを知ったポセイドンは、ゼウスの雷霆に唯一匹敵する三叉槍（トライデント）を使ってオデュッセウスの船を再び沈めてしまいました。

またも漂流することになったオデュッセウスですが、海の神レウクテニアに救われ、スケリアという島に漂着します。

この島でオデュッセウスを助けたのは、パイアケス人の王アルキノオスの王女ナウシカアでした。オデュッセウスをただ者ではないと見抜いたナウシカアは、彼を父である王のもとに連れていきます。

最初、用心深いオデュッセウスは、自分の素性を明かさなかったのですが、宴の席で、楽人デーモドコスが歌うトロイア戦争の物語を聴いたことで、昔を思い出し、思わず涙を流してしまいました。

その姿を見た王が、オデュッセウスに素性を尋ね、やっとオデュッセウスは自分の正体を王に明かし、これまでの苦難の道のりを話し始めたのです。

先にお話しした冒険の数々は、『オデュッセイア』では、このときアルキノオス王にオデュッセウスがこれまでのいきさつを語るというかたちになっています。

息子テレマコスとの再会、変わり果てた故郷

ペネロペイアが求婚者たちを必死にかわすなか、テレマコスは父親を探す旅に出る決心をします。

オデュッセウスが出征したとき、まだ幼かった息子のテレマコスは、立派な青年に成長していましたが、まだ母の求婚者たちをやり込めるほどの力も知恵もなく、悔しい思いをしていたからです。

しかし、そんなテレマコスは、求婚者たちにとって邪魔な存在でした。

そこで彼らは、テレマコスがギリシア本土に渡ったところを狙って、彼を殺そうと計画します。この計画は女神アテナによって阻まれ、テレマコスは無事に旅に出、さまざまな場所でオデュッセウスの消息を尋ねます。

すると、現在の消息はわからないものの、戦争が終わるまでオデュッセウスが無事でいたこと、その後、自分の軍勢を連れて帰途に就いたことを知ります。その一方で、オデュ

ッセウスが死んだという情報は一つも入ってきません。

結局、この旅でテレマコスは父には会えませんでしたが、父はどこかで生きている、と期待をもってイタカの島に戻るのでした。

その頃、オデュッセウスもイタカを目指して再び旅立っていました。

しかし、そのままの姿ではまたポセイドンに行く手を阻まれると思ったアテナは、オデュッセウスを物乞いの老人の姿に変え、スケリアから送り出します。おかげでオデュッセウスは、ついに二十年ぶりに祖国イタカの土を踏むことができます。

二十年ぶりの祖国は変わり果てていました。

しかも、妻のもとには、自分の資産を食い潰そうとする悪辣(あくらつ)な求婚者たちが殺到しているというではありませんか。まだ妻の本心がわからないオデュッセウスは、正体を明かさず、慎重に探りを入れていきます。

テレマコスは、生まれて間もない頃にオデュッセウスが出征してしまったために、父親の記憶がありません。召使いたちも妻のペネロペイアも、オデュッセウスの姿がアテナによって変えられているため気がつきません。

そんな中で、唯一彼の正体に気づいたのが、彼が飼っていた犬でした。二十年も経っているのですから、かなりの老犬のはずですが、犬はその物乞いの姿をした老人が、懐かしい自分のご主人だとすぐに気づき、シッポを振って喜んで寄っていきました。

そうしてついに、この者なら信用できると思えた召使いと、我が子テレマコスにだけ正体を明かしたオデュッセウスは、彼らとともに悪辣な求婚者たちに報復する計画を練っていくのでした。

このあとギリシアが誇る知将オデュッセウスが、どのような計画を立てて悪辣な求婚者たちに立ち向かっていったのか。そして、その計画は成功するのか。この先は、ぜひみなさん方自身で結末を確かめていただきたいと思います。

『イリアス』『オデュッセイア』に封じ込められた三つの時代

『イリアス』と『オデュッセイア』のストーリーをざっとおわかりいただいたところで、最初に申し上げたこの二作品の歴史的な価値についてお話ししたいと思います。

それは、これらの作品には、「異なる三つの時代」が封じ込められていることです。

まず一つ目の時代は、「物語の舞台」となっているミケナイ時代（紀元前十六〜前十二世紀）。

二つ目は、英雄叙事詩が言い伝えられていく過程で、その時代や地域それぞれの変異が取りこまれていったことが考えられます。まったく文字のない暗黒時代層の残像があるはずです。二十世紀を代表するモーゼス・フィンリーというギリシア史家は、この二大叙事詩は前十、前九世紀の社会を反映していると語っているほどです。

三つ目は、ホメロスによって『イリアス』『オデュッセイア』がまとめられたとされる時代（紀元前八世紀）。

やがて、物語が文字で記録されるペイシストラトスの時代（紀元前六世紀後半）を迎えます。

この三つの時代には、実はとても大きな違いがあるのです。

それは、伝承と時代背景です。

多くの日本人の感覚では、一番古い時代は文字がなく、文字が生まれたら、そのまま発展していったはずだと考えると思いますが、実はギリシアにおいては違うのです。ホメロスがこれらの叙事詩をまとめたとされる時代のギリシアは、実は文字が失われていた時代なのです。

地中海世界では、ミケナイ文明が終焉を迎えてから、ギリシアに都市国家「ポリス」が誕生するまでの約四百年間、実は「暗黒時代」ともいわれる「文明の断絶期間」が存在しているのです。

トロイア戦争が神話というかたちでしか伝承されてこなかったのも、この断絶期間があったことが関係しています。この間は、文字が失われていたため、文字史料といえるものがほとんど存在しないからです。

ミケナイ時代は、ギリシアに「ポリス」が生まれる四百〜五百年前に、ペロポネソス半島のミケナイ王国を中心に栄えたギリシア人による文明です。

ミケナイ文明は、青銅器文明ですが、現在「線文字B」と呼ばれている文字をもっていました。なぜ「B」なのかというと、これよりも古いミノア文明（前二十〜前十五世紀）の遺跡から「線文字A」が発見されているからです。

線文字Bが刻まれた粘土版（クレタ島、クノッソスのもの）

線文字Aが発見されたのは主にクレタ島で、線文字Bはクレタ島だけでなくギリシア本土からも発見されています。

線文字AとBは共通する点があったことから、当初線文字Bは、非ギリシア系であるクレタ人の言葉にもとづく文字だと考えられていました。ところが、クレタ人の言葉と仮定して行われた解読作業は一向に結果が出なかったのです。

そうしているうちに、発掘が進んだことで、ギリシア人がクレタ島を支配していた可能性が強くなり、古いギリシア語との関係性を考慮した解読が進められた結果、解読に成功し、線文字Bが古いギリシア語を表記したものであることが判明したのです。

線文字Bが解読されたのは一九五三年。解読に成功したのは、なんと言語学の専門家でも歴史学者でもない、イギリス人の建築家マイケル・ヴェントリスという人物でした。

もちろんヴェントリスは専門家ではないので、自分の研究結果をケンブリッジ大学の古典学者で、ギリシア語の専門家であるジョン・チャドウィックに検証してもらいます。その結果、これはもう間違いないだろうということになり、最終的に二人の共著というかたちで論文を学会に発表したのです。

ちなみに、本稿ではこれまで便宜上「ギリシア」という総称を使っていますが、『イリアス』『オデュッセイア』では、古い時代の言葉でギリシア民族を意味する「アカイア」という呼び名が使われています。スパルタについても同様で、後にスパルタというポリスになることから、わかりやすく「スパルタ」という呼称を使っていますが、当時の呼び名は「ラケダイモン」といいました。

「線文字B」の解読で、大きく変わった歴史認識

線文字Bが古代ギリシア語であったと判明したことで、この時代の歴史認識は大きく変化しました。

なぜなら、それまで『イリアス』はギリシア人の物語とはなっているけれど、実際に線文字Bの時代にミケナイに住んでいたのはギリシア人以前のクレタ人たちだったはずだと、十九世紀の学者たちは考えていたからです。

実際にはクレタ人が住んでいたのだから、『イリアス』に書かれているトロイア戦争も後世のギリシア人が作った架空の物語に過ぎない。したがって、トロイア王国も実在しなかった、というのが、当時の見解だったのです。

そうしたなかで、線文字Bの解読以前に、『イリアス』に書かれていることは史実だと考えて、それを立証すべく動いた人物がいました。

それが、ドイツ人のハインリヒ・シュリーマンです。

シュリーマンは、幼い頃に読んだ『イリアス』の絵本に衝撃を受け、その実在を信じ、後に私財をなげうって、トルコのヒッサルリクの丘を発掘し、一八七一年にトロイアの遺跡を見つけ出すことに成功した人物です。

彼のすごいところは、トロイア発見を夢に掲げながら、考古学者になるのではなく、銀行家になって金儲けをして、その金で発掘したという点です。

彼はきちんとした考古学を学んでいないため、やり方がずさんだとか、きちんとした学問的手続きを踏んでないといった、数多くの批判を受けることになりました。学界もそんな彼の成果を、決して認めようとしませんでした。

シュリーマンのトロイア発見だけでは、覆(くつがえ)せなかった当時の定説を、動かしたのが線文字Bの解読だったのです。これにより、学界でもやっと、ギリシア人があるいはギリシア人に近いトロイア人がトルコに実在したことが認められるようになっていったからです。

ちなみに、シュリーマンが発見した遺跡が、「トロイア戦争」で炎上したトロイアの王宮を含むトロイアの遺跡であることは、その後の正式な考古学調査によって現在は立証されています。

確かにシュリーマンの発掘には、大切な歴史層を削り取ってしまったり、時代を誤って認識していたりと、問題点も多いのですが、彼が、学界とは異なる立場からアプローチしていなければ、トロイアの発見はもっとずっと後のことになっていたかもしれません。『イリアス』『オデュッセイア』で謳われた古代ギリシア人による文明は実在のものでした。

では、なぜそれが失われてしまったのでしょう。

これも文字史料が少ないので、正確なことはわからないのですが、前十二世紀頃に東地中海で活動した「海の民」と呼ばれる民族の侵攻が理由だと考えられています。「海の民」という呼称は、古代エジプトの記録にもとづくもので、彼らがどのような人々だったのかは、東地中海の諸部族らしいということだけで詳しくはわかっていません。

古代エジプトは、彼らの侵攻を撃退しましたが、彼らの侵攻によって、『イリアス』『オデュッセイア』に描かれたミケナイ文明はもちろん、小アジアで鉄器を製造する技術をもっていたヒッタイト王国も滅亡してしまっています。

これにより線文字Bは失われ、その後ギリシア世界では、紀元前八世紀に、フェニキア人が作り出したアルファベットを借りてギリシア語を文字で表記するようになるまで、文字を持たない状態が約四百年間続いたのです。

『イリアス』と『オデュッセイア』は、この文字を持たない四百年の間に口承文学として生まれ、紡（つむ）がれていったのです。

ですから、冒頭でも触れましたが、これらの物語はホメロスという個人が一人で制作したのではなく、地中海世界にいろいろなかたちで、断片的に伝承していた物語を、多くの吟遊詩人が拾い集め、一連の物語としてまとめられたものだと考えられるのです。

この文字を持たない期間には、エンターテイナーである吟遊詩人たちによって、物語を面白くしようとする工夫から、さまざまな脚色が加えられたことでしょうし、その時代に合わせて、理解しやすいように手直しが加えられたところもあったはずです。

たとえば、『イリアス』にアキレウスの盾(たて)に描かれている田園の模様を描写した箇所があるのですが、その様子は、明らかに物語の舞台となっているミケナイ時代ではなく、物語が成立したポリス成立初期の情景なのです。こうしたいわゆる「時代考証的には合わない描写」は、数え上げれば切りがないほどあります。

そういう「改編の時代」を経て、人々に愛され生き残ってきた物語が、最終的に紀元前六世紀のアテネで、僭主ペイシストラトスの命によって、文字として記録されたのです。

そういう意味で、この作品には三つの時代が「三つの層」として内包されているといえるのです。

『イリアス』『オデュッセイア』の登場人物の人格の違いが意味するもの

三つの層を内包する『イリアス』と『オデュッセイア』。

作者も同じ人物、内容的にも同じ登場人物が登場し、物語としても連続している二作品ですが、これらは本当に同時期に作られたものなのでしょうか。

実は、私はこれらの作品には、少なくとも百年ぐらいの時間的な隔たりがあるのではないかと考えています。

なぜなら、両作品の登場人物には明確な違いが見られるからです。

『イリアス』に登場する人物は、自分の意見を単刀直入に話し、常に裏表のない自分の主張を通したかたちでのやりとりをしています。しかし、オデュッセウスは、非常に用心深く、さまざまな手練手管を使い、時には作り話をして、相手の真意を見抜こうとしています。つまり、良くも悪くも、オデュッセウスは、相手の気持ちを探ることに多くの意識を向けているのです。これは『イリアス』の中には見られない人格です。

一方、『イリアス』に登場する人物の人格には「迷い」がありません。なぜなら、決断が求められるような場面の多くで、神々が介入し、登場人物はそれに従って行動するからです。彼らは人間として考えた結果として行動するのではなく、最終的に神の命に従うので迷いがないのです。

でもオデュッセウスは、神々に翻弄(ほんろう)されながらも、常に自分で考え抜いた結果として行動しています。相手の気持ちを探るのも、戦略を立てるのも、作り話をするのも、すべては自分が考えるための材料を集めるためといえます。こうしたキャラクターの違いから、オデュッセウスは「最初の近代人」といわれています。

この違いは何を意味しているのでしょうか。

この問題については、拙著『教養としての「世界史」の読み方』（PHPエディターズ・グループ）の中でも触れましたが、どうも大昔の人間というのは、本当に神々の声、これを私は「神々のささやき」といっているのですが、それが聞こえていたようなのです。事実、『イリアス』に限らず、古代メソポタミアの『ギルガメシュ叙事詩』（実在したといわれる英雄ギルガメシュの物語。世界最古の物語の一つとされる）など、多くの古文書に神々の声を聞く人間の話が記されています。

しかし、その「神々のささやき」は、紀元前一〇〇〇年ぐらいを境に、聞こえなくなっていきます。『イリアス』と『オデュッセイア』の登場人物の人格の違いは、このことを見事に表しているのではないか、というのが私の説です。

『イリアス』の中で「神々のささやき」を思わせる部分はたくさんあり、数え上げると切りがないのですが、たとえば、アキレウスの愛妾をアガメムノンが奪っていったとき、アキレウスがアガメムノンを責めると、アガメムノンは「いや、私ではない、神の命令でやったのだ」と、弁明しています。つまり、神が命じたことなのだから自分に責任はない、ということです。

現代人なら、まず間違いなくこの言い訳に対して、「ふざけるな」と怒ることでしょう。ところがアキレウスは、この弁明に怒るどころか、一切反論していないのです。

このやりとりからわかるのは、アキレウスにも同じような経験、つまり「神々のささやき」に突き動かれた経験があったのだろうということです。

神々の声が本当に聞こえていたなんてバカバカしい、と思うかもしれませんが、実はこれはありうる話なのです。

事実、プリンストン大学の心理学教授ジュリアン・ジェインズは、『神々の沈黙――意識の誕生と文明の興亡』（『The Origin of Consciousness in the Breakdown of the Bicameral Mind』紀伊國屋書店）という本の中で、三千年前の人類は、実際に神々の声を聞き、その通りに行動していたのではないかという仮説を立て、ホメロスの『イリアス』と『オデュッセイア』の記述をひもときながら検証しています。

人間の意識は、言語に深く根ざしているので、人類がまだ声としての言葉しか持っていなかった段階では、意識というものもなかったはずだとジェインズは述べます。

人類が意識を持ったのは約三千年前。ではそれ以前の意識を持たない人類は、どのようにして社会生活を営んでいたのかというと、「二分心（にぶんしん）／Bicameral Mind」を活用していたというのです。

二分心とは、簡単にいうと、心の中に「自分」の他にもう一つ「神」が共存していたということです。つまり、古代人が聞いていた「神の声」というのは、「神」という自分とは別の存在が実際にいて、その声を聞いていたというのではなく、自分の心の中に存在する「内なる声」だというのです。

ジェインズは、この神の声が聞こえていた時代を「二分心の時代」と称しています。

私はこの書を読んだとき、自分が漠然と感じていた「神々のささやき」の実在を説明しうる説だととても腑に落ちたのを覚えています。

なぜなら、かねがね私も、「神」というのは人間の脳が作り出したものなのではないか、と考えていたからです。人間はなぜ、他の動物がもたない「宗教」をもったのか。この謎は、「神」とは人間が脳を発達させた結果として手にしたものの一つだと考えれば説明がつきます。

神は、人間の脳が作り出したものなら、人間にとって神とは、一種の「理想」といえるのではないでしょうか。

人間は誰しも、自らの理想に近づこうとします。実際、理想通りに行動できるかどうかは別として、理想的な行動をしようとするのはそのためです。そして、だからこそ、古代の人々は「神々のささやき」に突き動かされたのだと思います。

しかし、文明が進むなかで、人々は「神々のささやき」を聞く能力を失っていきます。

なぜ失われたのでしょう。

ジェインズは、人間が明確な意味をもつ言語を獲得し左脳が発達したことが原因ではないかと説いています。ジェインズは、「二分心」は、左右の脳がそれぞれに生み出した心で、神々の声は、右脳が生み出したものであって、明確な意味をもつ言語の獲得で左脳が発達し、対照的に右脳が退化してしまったことで聞こえなくなってしまったのではないか、というのです。

以前、解剖学者で脳科学にも詳しい養老孟司（ようろうたけし）さんにこれについて質問したことがあるのですが、養老さんは、現在の科学では証明することは難しいが、二分心は充分ありうることだと語ってくださいました。

こうした可能性を考えると、『イリアス』は「神々のささやき」が聞こえた時代の世界を表現し、『オデュッセイア』はそれが失われ始めた時代を象徴する作品だといえます。もしそうだとすれば、これらは歴史学的に非常に大きな変わり目を映した古典作品だといえるのです。

十九世紀には全くの創作（フィクション）だと考えられていた『イリアス』『オデュッセイア』の世界は、二十世紀に実在の世界をモデルとした作品であったことが証明されました。同じように、現在は立証できない「神々のささやき」の実在も、近い将来、証明される日が来るかもしれません。

この仮説が立証されたとき、古代の多神教世界がどれほど生き生きと蘇ってくることでしょう。想像しただけで私はわくわくします。

ホメロスの詩は、読むものではなく、聴くもの

さて、この項を締めくくるにあたり、読者の方に一つお願いがあります。

それは、『イリアス』と『オデュッセイア』を読まれるとき、ぜひ音読していただきたいのです。ホメロスの詩というのは、もともと吟遊詩人がかなでるものとして作られたものなので、本来は「読む」ものではなく、「聴く」ものなのです。

吟遊詩人たちがどのように語ったのか、それを体験してもらうために、私は大学の授業では、プロが読んだ『イリアス』と『オデュッセイア』のCDを聴いてもらっています。残念ながら日本語版はないので、英語版ですが、それでもとても気分が高揚します。

書籍だと、ぶ厚い上下巻に怯む人も多いのですが、語りだと、『イリアス』が十七時間、『オデュッセイア』は十二時間。『イリアス』を一日で読破するのは大変ですが、語り

を聴くだけなら、その気になれば一日でできてしまうのです。

何より実際に聴いてみて最も驚かされたのは、本で読んだときに感じた枕詞の煩わしさが、音声だと全く印象が変わったことです。

たとえば、文字で読んでいたときは、「雷をふるうゼウスよ」というような装飾表現が煩わしく、「単にゼウスでいいじゃないか」と思っていたのですが、音で聴くとそれが、「ああ、ゼウスが出てくるぞ」という期待感を膨らませ、とてもドラマチックな効果をもたらすのです。

とにかく、一度でも「聴く」体験をしていただくと、『イリアス』も『オデュッセイア』も、やはり詩人が語る音として聴くものなのだと実感していただけるはずです。

とはいえ、実際には英語版では理解できないという人も多いでしょう。

そういうときにお勧めなのが、声に出して読む「音読」なのです。

音読は、自分の語りを自分で聴くことになるので、プロによる語りほどではありませんが、それに近い高揚感を味わうことができます。

初めてこの作品を読まれる方はもちろん、以前『イリアス』や『オデュッセイア』を読んだけれど、大して面白くなかったという人も、ぜひ一度、音読を試してみていただきたいと思います。

02/20

史記列伝

司馬遷

しばせん（前145?～前86?）。中国、前漢の歴史家。生没年に関しては諸説ある。若い頃に中国各地を周遊、史跡調査や伝承採集を行った。

『史記』のなかの人物は、はげしく喜び、はげしく怒る。大いに哀しみ、大いに楽しむ。そういう感情の起伏の大きさはじつは人間の原点にあったものであろうし、そこからかけはなれたところにいる現代人が、『史記』を読むことによって、人であることに回帰し、やすらぎを得るのではあるまいか。

宮城谷昌光(1945〜)
『史記の風景』より

中国はもちろん、東アジアの「正史」の様式は、紀元前二世紀の司馬遷という生没年すら明確でない、たった一人の人物が書き上げた『史記』によって確立された。その『史記』の大半を占める『史記列伝』には、もし彼が取り上げなければ、時の流れの中に永遠に埋もれたであろう庶民の生きざまを、比類なき躍動感をもって描きだしている。人命がいともたやすく奪われていたこの時代に、司馬遷は、ある意味で死ぬよりも辛い刑罰をその身に引き受けてでも、生きて『史記』を書き上げる道を選んだ。『漢書』は「司馬遷傳」の中でそんな彼の思いを「仕事が途中のままで終わるのを自分はもっとも恥とした」「この本を完成させることができたなら、自分は八つ裂きにされようともかまわない」という激烈な言葉で伝えている。天賦(てんぷ)の才を持った人間が、命を賭(と)して書いたものが人の心を打たないはずがない。

たった一人で独自に執筆された、中国初の正史『史記』

『史記列伝』は、単独の書物ではなく、『史記』という書物の一部です。

『史記』は、前漢の第七代皇帝・武帝(在位前一四一~前八七。中央集権体制を強化し、儒

史記は合計130巻から成る

本紀	12巻	皇帝の年代記
表	10巻	歴史的事実を簡略にまとめた年表
書	8巻	政治に関わる出来事をまとめたもの
世家	30巻	諸侯と呼ばれる実力者の年代記
列伝	70巻	際立った人物の年代記

教を国学とした）の時代に編纂された中国最初の正史です。その著述様式は「紀伝体」といって、皇帝の年代記である「紀」と、個人の伝記である「伝」によって構成されています。『史記列伝』は、「伝」の中の一部「列伝」とされる部分です。

『史記』は五書一三〇巻からなり、その内訳は「本紀」一二巻、「表」一〇巻、「書」八巻、「世家」三〇巻、「列伝」七〇巻と、「列伝」が全体の半分以上を占めています。

「本紀」は、皇帝の年代記、「表」は歴史的事実を簡略にまとめた年表、「書」は政治に関わる出来事をまとめたもので、「世家」は、諸侯と呼ばれる実力者の年代記です。

では、「列伝」に記録されているのはどのような人たちなのかというと、「世家」との違いは微妙なところもあるのですが、歴史に残すべき個人の中でも、一般庶民からたたき上げでそれなりの実績を残した人物だといえます。

たとえば劉邦（りゅうほう）（前二四七〜前一九五）は、最終的に前漢の初代皇帝になったので「本紀」に含まれていますが、彼は貧しい庶民からのし上がった人物なので、もし皇帝になっていなければ、「世家」ではなく「列伝」に分類されていたはずです。

『史記』は中国初の正史とされ、その内容は、伝説の皇帝といわれる「五帝」から始まり、前漢の武帝の時代までのことが記録されています。正史というと皇帝の命で編纂されたものと思われるかもしれませんが、『史記』は、司馬遷が独自に執筆した歴史書です。その内容が武帝の逆鱗（げきりん）に触れる危険性があると考えられたことから、司馬遷の存命中は世に出すことなく、武帝の死後、『史記』を託されていた子孫が、宣帝（在位前七四～前四九。武帝の曾孫。匈奴（きょうど）を撃退するなど、中興の帝と称された）の治世において広めたと言われています。

それにしても、司馬遷はなぜたった一人で、中国の通史を書くという大事業に取り組んだのでしょう。

司馬遷は、元封三年（前一〇八年）、亡父・司馬談の就いていた官職である太史令を継承していますが、その生没年は諸説あり定かではありません。

太史令というのは、天象の観測や暦法の推算、及び国家文書や典籍、歴史などを扱う太史寮の長官で、もともと通史執筆の構想は、父である司馬談から受け継いだものだともいわれています。

司馬談は天文・暦学に通じた人物で、紀元前一四〇年に太史令に就任しています。彼は、時の皇帝・武帝の即位を天地に知らしめる儀式「封禅（ほうぜん）」の準備に心血を注ぎましたが、前一一〇年に行われた封禅の儀式の参加メンバーから外されてしまいます。

当然、儀式に参加できるものと思っていた司馬談は、外されたことを屈辱に感じ、ついには憤死してしまいます。

死を目前にした司馬談は、司馬遷に自分が果たせなかった通史執筆の大望を託して亡くなったといわれています。

このように書くと、司馬遷は父の官職と大望を受け継ぎ、無事大業を成し遂げ後世に名を残したわけですから、順風満帆な人生を送ったと思われるかもしれませんが、そうではありません。司馬遷の人生は、憤死した父親以上に過酷なものでした。

恥辱の生を選んででも書き上げたかった「列伝」

司馬遷の過酷な人生を理解するためには、当時の漢帝国の対外政策を知っておく必要があります。

武帝の時代、漢の最大の敵は北方遊牧民族の「匈奴」でした。

漢王朝を建国した高祖・劉邦は、匈奴と戦うも敗れ、建国したばかりの帝国を維持するために、不本意ながらも一族の娘を「公主（皇帝の娘）」の立場に据えて匈奴の王に嫁がせた上、毎年貢ぎ物を送ることを条件に講和を結びました。こうした状況は、慣例として引き継がれ、武帝が即位するまで続いていました。

武帝はこの屈辱的な状況を打開すべく、匈奴に対して討伐軍を送るという強行策をとります。

このとき匈奴討伐軍の司令官として起用されたのが、武帝の寵愛を受け皇后にまで上り詰めた衛子夫（えいしふ）の弟・衛青（えいせい）（?～前一〇六）と、その甥・霍去病（かくきょへい）（前一四〇～前一一七）でした。彼らの活躍のおかげで、武帝は匈奴を退けることに成功し、西域への領土拡大を果たします。

衛青の死後、新たに匈奴討伐の司令官に任命されたのは、衛皇后から武帝の寵愛を奪った李（り）夫人の兄・李広利（りこうり）という人物でした。

しかし残念なことに、李広利は、衛青や霍去病ほど優秀な武将ではありませんでした。そして、はかばかしい戦果をあげられないなか、前九九年、李広利の匈奴討伐を支援をするよう命じられたのが李陵（りりょう）という武人でした。

李陵は非常に優（すぐ）れた武人でしたが、このとき彼に与えられた兵はわずか五〇〇〇。しかも騎馬軍団である匈奴を相手にしなければならないのに、兵のほとんどが歩兵だったのです。この無謀ともいえる采配のもとでも、李陵は三万を擁する匈奴の本隊を相手に、八日間にわたり獅子奮迅(ししふんじん)の戦いをします。しかし、さすがの李陵も、約六倍の敵に勝つことはできず、最後は降伏を余儀なくされます。

李陵が匈奴に敗れ、捕虜になったという知らせを聞いた武帝は激怒、群臣たちも怒る武帝を恐れ、李陵の失態を言い立てました。

そうした中でただ一人、李陵を弁護したのが司馬遷でした。

司馬遷は李陵の人格を誉(ほ)め、彼が自害せずに敵に下ったのは、生きて再び漢のために戦うためだと主張しました。

しかし、司馬遷の弁護は、李陵を助けなかった李広利を非難したと受け取られ、李広利の妹を寵愛する武帝の怒りをさらに増大させる結果を招いてしまいます。

その結果、司馬遷は太史令の任を解かれ、獄吏(ごくり)に引き渡されます。

当時は多額の賄賂(わいろ)を積めば刑を逃れることができましたが、司馬遷にそんな財力はありませんでした。

李陵を弁護した司馬遷に下された刑罰は「宮刑」と呼ばれるもので、男性器を切り落とし去勢するという、死刑に次ぐ重刑でした。同時に宮刑は、家の繁栄を重視する中国においては、非常に屈辱的な刑罰でもありました。それだけに、宮刑を宣告され賄賂を支払えない者の中には、生き恥をさらすくらいならと、自ら死を選ぶ者も少なくなかったといいます。

そうしたなかで司馬遷は、不具の身となっても生きる道を選びました。

「命を鴻毛(こうもう)の軽きに比す」という言葉があります。意味は「大切なもののためであれば、命を捨てても惜しくない」ということですが、これは『文選』(六世紀、六朝(りくちょう)時代の詩文選集)に収録された司馬遷の文章「報任少卿書」の一節を出典とする言葉です。

司馬遷が宮刑を受け、恥辱の生を選んだのは、執筆中だった『史記』を完成させるためでした。それほどの強い思いをもって書かれたのが『史記』であり、中でも司馬遷が最も書きたかったのが、その大半を占める「列伝」だったのだと私は思います。

「第二の孔子」を選ばなかった司馬遷の思い

父・司馬談は、息子の司馬遷に「第二の孔子になれ」と言っていましたが、司馬遷にそのつもりはなかったようです。

なぜなら司馬遷は『史記』について、自ら「我これを空言に載せんと欲するも、これを行事に見わすの深切著明なるに如かず」と記しているからです。

これは、貝塚茂樹氏の訳を使わせていただくと、「私が抽象的な言葉で述べようとするよりも、実際に行われたことによって示す方がはるかに切実で鮮明になるのだ」という意味です。

つまり司馬遷は、孔子のように物事を論理的に論ずるよりも、一つひとつの史実をそのまま示していくことのほうがはるかに説得力がある、という考えのもと、この『史記』を書いたと言っているのです。そして、「列伝」こそが、まさにその典型だと思うからです。

またこのことは、司馬遷が創始した「紀伝体」という記述形式からもわかります。「本紀」は皇帝の年代記なので、その内容は基本的に皇帝の事跡を讃えることになります。しかし、「本紀」を表とするなら、裏にあたる「列伝」を併記することで、皇帝たちの煌びやかな表の歴史の裏には、こうした庶民の歴史があるのだ、ということを示すことができる。そこには、権力に対する一種の批判めいた思いが込められているような気がします。

たとえば、司馬遷は、漢帝国の高祖・劉邦のライバルであった項羽（前二三二～二〇二）を「本紀」で取り上げています。

確かに項羽は、秦を滅ぼした後、一時「西楚の覇王」を名乗っていますが、その在位はわずか四年と短い上、当時はまだ中国全土を統一できていたわけではありませんでした。そうしたなか、各地で反乱が起き、最終的に項羽と劉邦の戦い（楚漢戦争）に集約され、勝った劉邦が漢帝国を建国し中国の統一（前二〇二）を果たしたのです。

こうした流れを踏まえれば、戦いに敗れた項羽は「世家」に入れられるべきだと考えるのが普通でしょう。しかし司馬遷は、劉邦だけでなく項羽も「本紀」で取り上げているのです。

これに関しては、理不尽にも自分を宮刑に処した武帝に対する司馬遷の怒りが反映されているのだという人もいますが、私は司馬遷が、たとえ短期間であったとしても項羽が玉座に就いたという事実を客観的に認め、それを歴史書に残すことで、漢帝国を冷静に見つめようとしていたことの表れなのではないかと思っています。

『史記列伝』は名言の宝庫

古典としての『史記列伝』の魅力はいくつもありますが、まずいえるのは、取り上げられている人物の多さと多種多様さでしょう。

列伝に取り上げられている人物の数は七〇人以上、王侯や将軍といった英傑もいれば、老子や孟子といった文人もいます。また、普通なら歴史書に記されることのない商人や刺客、役人や侠客、さらには匈奴や南越（なんえつ）といった異民族まで取り上げられています。

しかも彼らは、いわゆる「善人」ばかりではありません。優れた人物ももちろんいますが、非情な策士や、悲劇的な人生を送った人なども事例として数多く取り上げられています。それだけに、列伝のエピソードは、成功事例よりもむしろ失敗の事例のほうが多いといえます。なぜ司馬遷はこのような人選をしたのでしょう。

それは、人は成功より失敗からより多くのことを学ぶからだと私は思います。そして、こうした司馬遷の思いは、『史記列伝』が故事成語の宝庫となっていることと無関係ではないでしょう。

『史記列伝』を出典とする故事成語はとても多いので、その中のほんの少しですが、日本人に馴染（なじ）みのあるもの、また、逸話として面白いものを選んでいくつかご紹介しましょう。

伯夷叔斉（巻一　伯夷列伝）

「伯夷叔斉（はくいしゅくせい）」は、高潔な人物のたとえとするときに用いられる言葉です。

時は殷代の末期、孤竹国（渤海湾に面した小国）に伯夷と叔斉という二人の王子がいました。二人とも礼を尊び節度を守る優れた人物でした。しかし、王の後継者は一人です。悩んだ末、父王は三男の叔斉を後継者に選びました。すると長兄の伯夷は、自分がいると弟が王位に就きにくいだろうと、自ら国を出てしまいます。しかし、叔斉もまた、自分より伯夷が王位に就くべきだとして、王位に就くことなく国を出てしまうのでした。結局、孤竹国の王位は、残された次男が継ぐことになりました。

その後、伯夷と叔斉の二人は、周の文王の徳を慕い、周に向かいます。しかし二人が周に着いたときすでに文王は亡く、息子の武王が王位を継いでいました。

このとき武王は、暴君として知られる殷の紂王を討つべく軍を率いて国をたとうとしているところでした。文王の喪が明けぬうちに、表立って武力を使おうとする武王を目の当たりにした伯夷と叔斉は、武王に徳を説き諫めました。しかし、この諫言は届かず、武王は殷を滅ぼし覇者として君臨します。

伯夷と叔斉は武王のもとで生きることを恥として、山に入り山菜を食べるだけの清貧の生活を送りますが、やがて餓死してしまいます。

死を直前にした二人は、最期に伝説の有徳の王、神農・舜・禹の名を挙げ、この世から有徳の治世が失われたことを嘆く「采薇の歌」を残しています。

西山に登り　薇を采る
暴を以て暴に易え　その非を知らぬ
神農・虞・夏忽焉として没す　我いずくにか適帰せん
吁嗟徂かん　命の衰えたるかな

この故事については、孔子も『論語』の中で触れ、伯夷と叔斉は有徳の人物なので、世を嘆いても人に恨みは抱いていないだろうと評していますが、司馬遷は、彼らは恨みを抱いていたのではないか、と自らの意見を述べています。

なぜ司馬遷は、最も書きたかった「列伝」の最初にこのエピソードを選んだのでしょう。

伯夷と叔斉は、正しいことを言ったのに、その言葉は周の武王に受け入れられず、その結果、餓死という非業の最期を遂げています。

そして、司馬遷自身は、李陵の弁護で漢の武帝の怒りを買い宮刑に処せられました。もしかしたら、司馬遷が「伯夷と叔斉は恨みを抱いていたのではないか」と評したのは、自分自身が武帝の理不尽な処罰に恨みを抱いていたからかもしれません。

千人の諾々は一士の諤々に如かず（巻八　商君列伝）

これは、「他人の言葉になんでも賛同するような人が一〇〇〇人いても、それは、権勢に媚びず正しいと思うことをきちんと主張できる一人に及ばない」という意味です。今風にいえば、一〇〇〇人のイエスマンより、自分の意見を言える人ひとりのほうが価値がある、という意味の言葉です。

舞台は、秦がまだ大国になる前。

衛の公族の出身である商君（商鞅）は、秦の孝公の信頼を得、その学術をもって富国強兵策や、法制の整備に尽力しました。

改革が成功し、商君が宰相となって十年ほどが過ぎた頃、商君は趙良という人物と出会います。商君が趙良に交際を求めると、趙良は商君に対し「あなたは人の言葉を聞き入れ反省する聡明さを持っているか」と問います。そして「一〇〇〇人の諾々は一士の諤々に如かず」と言い、商君に気に入られ、腹心に取りたてられたのでした。

当時、異国から来て性急に改革を推し進めたことで、商君は旧来の貴族たちの恨みを買っていました。彼らの恨みを知った趙良は、商君に危険を避けて他国へ逃れるよう進言します。

しかし商君は、この進言を退け、趙良はひとり秦を出ます。

それから間もなく、孝公が没し、息子の恵王が王位に就くと、かねてから商君に恨みを持っていた恵王の側近たちに命を狙われるようになります。商君は、そうなってから慌てて国を出ますが、時すでに遅し、最期は秦の追っ手に討たれてしまいます。

この原稿を書いていて、私はふと友人の言葉を思い出しました。

「オレは若いとき、上の人にゴマをすって取り入っているヤツらが大嫌いでね。なぜ上司はこんなヤツらをそばに置いているのかと憤りを感じていたんだ。そして、もし自分が上の立場になったら、もっと真っ当な、きちんと意見の言える部下をそばに置こうと思っていたんだが。自分がいざ上になってみると、やっぱりゴマをすってくれるようなヤツのほうが楽なんだよな」

こんな告白をしたのは、長年某団体の理事を務めていた人でした。

商君もそうでしたが、やはり人というのは、客観的に見ていたときは言えたことでも、いざ自分がその立場になると、なかなか理想通りに実行するのは難しい、ということなのかもしれません。

鶏口となるも牛後となる勿れ（巻九　蘇秦列伝）

「鶏口牛後」という四文字熟語にもなっているこの言葉の意味は、大きな集団や組織の末端にいるより、たとえ小さな集団でもそこの長になったほうがいい、というものです。

　秦がだんだん強くなり、周囲の諸侯国がその脅威を感じ始めた頃、蘇秦は、諸侯国が協力して秦に対抗する「合従策」を説いて回りました。「鶏口となるも牛後となる勿れ」は、韓の国の宣恵王に合従策を説いたときの蘇秦の言葉です。つまり、秦の傘下に入り牛後となるのではなく、一国一城の主としての気概を持つべきだ、ということです。

　実は、これと同じようなことを古代ローマのユリウス・カエサル（前一〇〇～前四四）も言っているのです。

　それは、紀元前六一年、カエサルがヒスパニア（現在のスペイン）へ向かう途中、立ち寄った小さな村で部下たちに語った言葉です。

「ローマ人で第二位になるよりも、この小さな村で筆頭になったほうが良い」

　当時のカエサルはまだローマの第一人者になる前どころか、クラッスス、ポンペイウスとともに「三頭政治」の一翼を担うより前です。このカエサルの言葉は、第一人者にならなければ意味がないという、カエサルの強い思いの発露だったのですが、同じような言葉でも蘇秦の言葉は、必ずしも首尾一貫した信念に裏打ちされたものではありませんでした。蘇秦は良くも悪くも弁論家でした。つまり、相手を言葉で説得し、自らの合従策のもと諸侯王を連合させることが彼の目的だったのです。

素晴らしいことを言っているようで、所詮、彼の言葉は、目的を達成するための手練手管に過ぎませんでした。その結果、最後は諸侯王の信を失い、恨みを買い、蘇秦は暗殺されてしまいます。

狡兎死して走狗烹らる（巻九二　淮陰侯列伝第三二）

淮陰侯（わいいんこう）列伝は、劉邦の片腕として働き、その勝利を決定づけたといっても過言ではない武将・韓信（かんしん）（?～前一九六）についての記述です。韓信は他にも「国士無双」や「韓信の股くぐり」など故事成語として知られる有名なエピソードを持つ人物です。

韓信は若いとき、飄々とした人物でした。ある日、一人の無頼漢がそんな韓信をバカにして「オレの股をくぐれ」と挑発します。普通なら喧嘩になるところですが、韓信は涼しい顔で男の股をくぐってやり過ごします。

韓信が無頼漢の股をくぐったのは、意気地がないからではありません。こんなところで些細（ささい）な怒りに駆られているようでは大望を成し遂げられないと考えていたからでした。実際、韓信は、くだらない喧嘩は一切しませんでしたが、肝心なところでは常に人並み以上の活躍をしました。やがて韓信は、周囲の人たちから「国士無双」、つまり国に二人といない傑物だと呼ばれるようになりました。

淮陰侯列伝を読んだとき、私は、第二次ポエニ戦争（前二一九〜前二〇一）でカルタゴの猛将ハンニバルと戦ったローマの将軍ファビウス・マクシムスを思い出しました。彼は、ハンニバルの強さをよく知っていたので、ハンニバルが大軍で攻めてくると、対決を避け、カルタゴ軍の補給路を断つという持久戦法をとりました。

これには勇猛なローマ兵の間から「なぜ戦おうとしないのか」という不満の声が上がり、ローマでも評判がよくありませんでした。

しかし、敵将ハンニバルは、そんなファビウスを恐れていました。ファビウスはどんなに挑発しても勝ち目のない戦いには乗ってこないので、ハンニバルとしては非常にやりにくい相手だったのです。

そうしたなか、ローマで一つの噂がささやかれるようになります。それは、ファビウスはハンニバル軍に通じているのではないか、という噂でした。

この噂を聞きつけたハンニバルは、行軍ルートからあえてファビウスの領地を外すということをします。自分がそうすることで、ローマ人がますますファビウスのことを疑うように仕向けたわけです。

ところがファビウスは、そんなに疑うならと、自分の領地をすべてローマに捧げてしまったのです。これには誰もがファビウスの潔白を信じるしかありませんでした。

つまり、韓信もファビウス・マクシムスも、一時的な見栄や、その場の衝動に左右されることなく、物事の大局を見て、何が重要なのかを判断し、行動することができたということです。しかし、そんな韓信も、自分の最期までは見通せなかったようです。

劉邦が天下統一を果たし、漢帝国が安定してくると、戦争をする必要がなくなります。すると、次第に劉邦は韓信を冷遇するようになっていきます。優秀な人物であるが故に、天下を簒奪（さんだつ）する気があるのではないか、と疑われてしまったのです。

そしてついに、謀叛（むほん）の疑いありと断罪され捕縛されてしまいます。

そのとき、韓信が言ったのが、「狡兎（こうと）死して走狗（そうく）烹（に）らる」という言葉でした。

これは直訳すると「ウサギが捕まると、猟犬は不要になり煮て食べられてしまう」ということですが、自分はもはやその不要な猟犬に等しい存在なのか、という韓信の嘆きの言葉だったのです。

列伝から読み解ける「中国」と「ヨーロッパ」の「法」の考え方

この他にも『史記列伝』には、面白い話がたくさんあります。

たとえば、「刺客」というういわばテロリストに焦点を当てた「刺客列伝」(巻二八)は、私のお気に入りです。なかでも、燕の太子の依頼で秦の始皇帝の暗殺を試みた荊軻のエピソードは極限状態の人間のメンタリティがとてもよく伝わってくる秀逸な話です。始皇帝を暗殺すべく刺客になった荊軻は大胆にして冷静沈着な男でした。ただ腕っぷしが強いだけ、あるいは血気走るだけの人物では、とても絶大な権力を持つ皇帝を刺せるものではないのです。事は順調に進みましたが、今一歩のところで皇帝に気づかれてしまい、暗殺はかないませんでした。荊軻ほどの人物であっても、絶大な最高権力者の暗殺は容易でないことがよくわかる事例ですね。

また、悪質な官吏のエピソードを集めた「酷吏列伝」(巻六二)というのもあります。いつの時代も、世の中が治まり平和になってくると、官吏の中には職権を乱用して利益を得ようとする連中が出てくるものですが、これを読むとすでに前漢の時代から酷吏(悪質な役人)の蔓延が生じていたことがわかります。

そして、なぜ漢で酷吏が多発したのかも見えてきます。

実はその原因は、秦にあったのです。

中国最初の統一王朝を打ち立てた秦の始皇帝は、徹底した法整備と軍事力によって国家を管理しました。しかし、あまりにも短期間に、半ば無理矢理に厳しい法を施行したので、当然の結果として反発が生じていました。

それでも始皇帝が生きている間は押さえられていましたが、彼が亡くなると瞬く間に不満が噴出し、秦はあっけなく崩壊してしまいました。

漢は、秦を教訓に、法整備をとても緩くしました。その結果、漢では法的な縛りが緩く、酷吏の発生を招いてしまったのです。

こうした状況を、司馬遷は「酷吏列伝」の中で「網呑舟の魚を漏らす」という言葉で表現しています。「網（法律）の目が粗いため、舟をのむほどの大魚（大罪人）までも逃してしまう」という意味です。

秦の失敗があるから、法はあまり厳しくしてはいけない、かといってあまりにも緩くしてしまうと、酷吏が頻出してしまうので、やはり刑は厳しくしなければならない。この問題を解決する方法は、法そのものは緩くしておくが、法を破った者に対しては、厳罰を処すということだとしています。

これを読んで思い出したのが、日本とヨーロッパの交通違反に対する処罰の違いでした。日本のスピード違反は、捕まると罰金数万円。罰金はそれほど高額ではありませんが、その分、頻繁に取り締まりが行われています。それに対し、ヨーロッパでは取り締まりはほとんど行われていません。しかし、捕まったときには年収の半分にも及ぶといわれるほどの、莫大な罰金が課せられます。あまりにも罰金が高いので、取り締まりをしなくても、みんな普段から違反をしないようすごく気をつけているのです。

これなどは、まさに法そのものは緩くして刑を厳しくすることが、法の遵守につながっているいい例といえるでしょう。

とはいえ、中国とヨーロッパでは「法」に対する考え方が根本的に違うのも事実です。ヨーロッパの法は、ローマ法の伝統の中で発展してきたものなので、話し合いをベースとする「民法」が基本となっているのですが、中国の法は、為政者が民を統率するためのものとして整備されてきたものなので「刑法」が基本となっているからです。

「民法」から発展したヨーロッパでは、疑わしき者は裁判にかけ、議論を戦わせた上で悪いとされたことに関しては相応な処罰をするのですが、刑法を基本とする中国では、国家や社会の秩序を乱した者は、すでにその時点で罪人なのです。

誤解していただきたくないのですが、これはどちらが正しいという問題ではありません。単に法律や刑罰に対する概念が、ヨーロッパと中国ではそもそも違うというだけのことなのです。

今も、「中国では西洋的な民主主義的な手続きが行われていない」、と非難されることがよくありますが、中国には三千年にわたる「刑法中心」の歴史があるのですから、ある意味仕方のないことでもあるのです。

強烈な印象を残した「人命の軽さ」

『史記列伝』とは何か。

ひと言で答えるなら、私は「教訓の書」だと思っています。

なぜなら「列伝」は、どんなに優れた人物であっても、その人生は決して平坦なものではないことを教えてくれるからです。

たとえば韓信などはその典型といえます。韓信は、非常に優れた人物でしたが、その優秀さを活かして成功したが故に、嫉妬され、冷遇され、最後はその悔しさから謀叛を起こし命を落としています。

そんな韓信に対し、司馬遷は「もし韓信が道を学んで謙譲であり、自分の功績を誇らず、能力を誇示しなかったならば、漢の王室に対する韓信の勲功は、周公・召公・太公望が周王朝に対して成し遂げた勲功と比較されるほどのもので、子々孫々にわたって讃えられたのは間違いない」と、惜しんでいます。

列伝には、こうした一概に成功とも失敗とも言い切れないエピソードがたくさん収められているのが、面白いところだといえるでしょう。

とはいえ、『史記列伝』を読み終えて、私の心に最も強く印象づけられたのは、実は、信じられないほどの「人命の軽さ」でした。

私の専門はローマ史なので、古代ギリシアやローマなど古代西欧文明の歴史書は数多く読んできましたが、中国史に関しては門外漢です。それだけに、『史記列伝』における人命の軽さは、登場人物が生き生きと描かれているだけに、強い衝撃を受けました。

ローマ史でも処刑や暗殺は珍しいことではありません。しかし、基本的にその罪が問われるのは個人に対してだけです。ところが中国では、本人とその家族はもちろん、遠縁にあたるまで、文字通り一族郎党すべて「皆殺し」にされてしまうのです。しかもそういう事例が、『史記』にはまるで当たり前の如く多数記されているのです。

これは、歴史書にありがちな誇張表現ではありません。

事実、司馬遷は李陵を弁護しただけで宮刑に処せられています。そして、李陵の一族は、武帝によって根絶やしにされているのです。

以前、拙著『教養としての「ローマ史」の読み方』（ＰＨＰエディターズ・グループ）の中で、ローマ人の寛容さを示すエピソードとして、ギリシアでは敗戦将軍は帰国したら死刑だったけれど、ローマでは、正々堂々と戦った結果としての敗戦であれば、受け入れられ、汚名返上のチャンスが与えられた、というお話をしました。

このとき、ローマの寛容さと比較するために例に出したギリシアでさえ、敗戦の罪が問われたのは、あくまでも個人で、その類が家族や一族に及ぶことはありませんでした。一族郎党皆殺し。これは私がヨーロッパ史、なかでもローマ史を専門としているからなのかもしれませんが、このすさまじさは、同じ古代史でも中国に特筆すべきもののように思われます。

ちなみに、李陵と司馬遷の逸話をモチーフに書かれた小説に、中島敦（一九〇九〜一九四二）の名作『李陵』があります。この逸話にご興味を持たれた方は、ぜひそちらも合わせて読んでいただければ、より『史記列伝』の世界を楽しんでいただけるのではないかと思います。

03/20

英雄伝

プルタルコス

Plūtarchos（46?～120?)。古代ギリシアの哲学者・著述家。『英雄伝』のほか多数の著作を残すが、いずれも50歳以後の執筆とされる。デルフォイの最高神官も務めた。日本では英語式のプルタークとしても知られる。

人間の偉大さは

恐怖に耐える誇り高き姿にある

プルタルコス（46?〜120?）

『対比列伝（英雄伝）』より

ローマ帝国が「パクス・ローマーナ」と呼ばれる平和と繁栄の最中にあったとき、ギリシア人プルタルコスは、母国ギリシアの英雄とローマ帝国の英雄を対比させ記述するというそれまでにない『英雄伝』を記した。それは人々に両国の誇り高き英雄の姿を伝えるとともに、かつてローマ人たちを虜にした「ギリシア文明」の誇りを後世に伝えている。彼らは何を重んじ、何に命を賭けたのか。英雄たちの誇り高き生きざまに触れるとき、現代を生きるわれわれは、同じ問いを突きつけられることになる。

ギリシアとローマの「対比」で描かれた人物伝

日本では『英雄伝』または『プルターク英雄伝』というタイトルで知られているプルタルコスの著作の原題は、ラテン語で『Vitae Parallelae』、ギリシア語で『Βίοι Παράλληλοι』。日本語に直訳すると『対比列伝』となります。何を対比しているのかというと、ギリシアの人物伝とローマの人物伝を対比して語っているのです。

なぜプルタルコスは、わざわざ「対比」というかたちで伝記を記したのでしょう。

その理由を考えるには、プルタルコスの生きた時代を知る必要があります。

プルタルコスの生没年は、はっきりとはわかっていませんが、一世紀から二世紀にかけて、ローマが最も平和で繁栄した「パクス・ローマーナ／ローマによる平和」といわれる五賢帝の時代です。

当時のギリシアはローマの支配下にありました。つまり『対比列伝』は、ローマ帝国の中で生きていたギリシア人が書いた英雄たちの伝記なのです。

プルタルコスは、西暦五〇年の少し前、ギリシアの都市国家、カイロネイアの名門貴族の家に生まれました。彼は、アテナイで数学と自然科学を学び、その後、エジプトのアレクサンドリアを訪れ、長じてはカイロネイアの使者としてローマにたびたび赴き、ローマでは哲学の講義を行ったと伝えられています。

その後は故郷カイロネイアに学校を開き、講義や著述活動を行う傍ら、神託で名高いデルフォイのアポロン神殿の神官を務めました。

プルタルコスの著作は、伝記の他にも、倫理、哲学、心理学、宗教、自然科学、文学など多岐にわたっており、三、四世紀頃に記録されたプルタルコス著作目録によれば二二七篇もあったとされています。その中で現存しているものは八三篇。その他に、先の目録に載っていなかったものが一八篇現存しています。

これら膨大な著作の中でも、最も有名なのが、『対比列伝（英雄伝）』と『モラリア』（邦題『倫理論集』または『道徳論集』）というエッセイ集のようなものです。

『対比列伝』の内容は、現存しているもので、二人ひと組の対比列伝形式をとったものが二二組四四人、単独の伝記が四篇。散逸したことがわかっているものが、対比列伝が一組、単独の伝記は一〇篇以上あります。

『対比列伝』には、基本的にその終わりに対比した人物の比較が述べられているのですが、中には比較論がないものもあります。

基本的には、立場や行いなど何かしらの共通点を持つ者同士を組み合わせていると考えられるのですが、中には、なぜこの二人を組み合わせたのか、今一つわからないものもあります。

そのためか、翻訳作品の中には、私が読んだちくま学芸文庫版『プルタルコス英雄伝』（上中下三巻、村川堅太郎編）もそうなのですが、対比のかたちを明確に打ち出した編集方法をとっていないものも多く見られます。

『英雄伝』は大著で、とてもそのすべてをご紹介しきれないので、今回は、日本人に比較的知られている人物を一組選び、ご紹介しようと思います。

『対比列伝』で比較された英雄たち
（単独の伝記、散逸したものは除く）

	ギリシア	ローマ	比較論
1	テセウス	ロムルス	あり
2	リュクルゴス	ヌマ	あり
3	ソロン	プブリコラ	あり
4	テミストクレス	カミルス	なし
5	ペリクレス	ファビウス・マクシムス	あり
6	アルキビアデス	コリオラヌス	あり
7	ティモレオン	アエミリウス・パウルス	あり
8	ペロピダス	マルケルス	あり
9	アリステイデス	大カトー	あり
10	ピロポイメン	フラミニヌス	あり
11	ピュロス	マリウス	なし
12	リュサンドロス	スッラ	あり
13	キモン	ルクルス	あり
14	ニキアス	クラッスス	あり
15	エウメネス	セルトリウス	あり
16	アゲシラオス	ポンペイウス	あり
17	アレクサンドロス	カエサル	なし
18	ポキオン	小カトー	なし
19	アギス／クレオメネス	グラックス兄弟	あり
20	デモステネス	キケロ	あり
21	デメトリオス	アントニウス	あり
22	ディオン	ブルトゥス	あり

まずはみなさんも、なぜプルタルコスがギリシアの英雄とローマの英雄を対比させたのか、対比させることで何を伝えたかったのか。考えてみてください。

アレクサンドロスとカエサル

古代マケドニアの王アレクサンドロス三世（前三五六～前三二三）は、ペルシア帝国を滅ぼし、ギリシアからインドに至る大帝国を建国したことから、「大王」の称号で呼ばれている人物です。

プルタルコスによると、アレクサンドロスは、「子供のときから節制の徳が抜きんでていて、他のことについては性急で行動も激情的であったが、肉体の快楽には動かされ難く、それにふれるには非常にひかえ目であり、名誉心のために彼の精神は年にくらべて重厚で気位の高いものとなっていた」そうです。

確かにアレクサンドロスには、身近な快楽におぼれたことを示す逸話がほとんどないのに比べ、変なところで激情を爆発させてしまったことを物語るエピソードがいくつも伝わっています。ペルセポリスの宮殿を焼いてしまったり、「この結び目を解くことができたものは、全世界の王になるであろう」という予言を持つゴルディオンの結び目を、解けないと思うや剣で断ち切ってしまったり、友人のクレイトスを殺し、その次の瞬間にはそのことを後悔して自ら死のうとしたり。

とらえ方によっては「潔さ」といえないこともありませんが、やはり「激情的」というプルタルコスの表現のほうが的を射たものといえるでしょう。

こうした性格は生来のものらしく、父親のフィリッポス二世が息子の家庭教師にアリストテレスを招いたのも、息子の性格は無理に矯正するより、根は理性的な人間なのだから、物事の道理を説くことができる師をつけることが重要だと見抜いたからだといいます。

若きアレクサンドロスは、アリストテレスに心酔し、さまざまなことを学びました。これは、アリストテレスの教訓の結果なのかはわかりませんが、彼は長ずるにつれ「名誉」を非常に愛するようになったといいます。そして、ついには自分の命よりも王国よりも名誉を重んじるようになり、その結果、名誉を傷つけられると思慮を失い激情的な行動に走るようになっていったのです。

そしてだんだんと、師をも疎んじるようになっていったといいます。

アレクサンドロスの「名誉と勇気を重んじる気風」を物語るエピソードとしてプルタルコスが紹介しているのが、アレクサンドロスが捕虜としたインド王ポーロスに「どのように扱ってほしいか」と尋ねたときのやりとりです。

この質問にポーロスはただひと言「王らしく」と答えました。

するとアレクサンドロスは、ポーロスに総督（サトラップ）の称号を与えて領地を安堵しただけでなく、友人として遇したのでした。

その後アレクサンドロスは、さらに東に進軍しようとしますが、疲れ切った部下たちの反対にあい、最終的には進軍を諦め、バビロンへ戻ることを決めます。そして、彼は、バビロンに戻って間もなく、その激しく短い生涯を閉じたのでした。

このときのアレクサンドロスは何を思っていたのでしょう。

彼にとっては、やはり攻めること、拡大することが「勝利」であり「名誉」であって、断念することは、すなわち敗北と感じていたのだと思います。そう思わせるのが、部下たちの反対にあったときのアレクサンドロスの態度の描写です。

アレクサンドロスは「不興と憤怒のためテントにとじこもり、横になって、もしガンジス川を渡らないならば、今までなしとげたことに少しも感謝することもないし、退却すれば敗北を認めることになると考えていた」とプルタルコスは記しています。


アレクサンドロスと対比されたのは、共和政末期のローマの権力者カエサルです。

カエサルは、アレクサンドロスに負けず劣らず多くの逸話を持っていますが、おそらくその中で事実といえるのは、わずか一〇パーセントほどでしょう。

そうしたことを差し引いたとしても、プルタルコスによるカエサルの記述は、カエサル個人の人物像があまりうかがえないという、残念な部分があります。

そのことについて、プルタルコスはラテン語があまり得意ではなかったので、ローマ人の著作を史料としてあまり読んでいないのではないか、ということがよくいわれています。でも、プルタルコスは『英雄伝』の中で、マリウス（前一五七〜前八六）やスッラ（前一三八〜前七八）など、カエサルの少し前のローマの権力者たちについては、その業績や戦いの歴史をきちんと記述しているので、それなりに史料を読んでいたことがわかります。ではなぜ、カエサル個人の人物像が薄い印象を受けるのでしょう。

その理由の一つとしていえるのは、プルタルコスが、カエサルをスッラとマリウスの対立構造の中で、「マリウス一派」としてとらえているからです。

事実、『英雄伝』のカエサルの記述は、スッラが若き日のカエサルをどのように見ていたか、という記述から始まっています。

プルタルコスが見出した二人の共通点

まだ何者でもない若きカエサルが、神官職の選挙に立候補したときのことです。スッラは密かにカエサルが落選するように手を回しただけでなく、暗殺まで計画していました。

それに対し周囲がやり過ぎだと忠告すると、スッラは「この少年の内にたくさんのマリウスがひそんでいるのが見えないとは、君たちに人を見る目が欠けているのだ」と答えているのです。

これはとても有名な逸話で、『ローマ建国史』を著したリヴィウス（前五九頃～十七）や『皇帝伝』の著者スエトニウス（七〇頃～一三〇頃）が著したものの中にも見ることができます。

スッラが自分の命を狙っていると知ったカエサルは、地方へ行き身を隠すのですが、途中で海賊に捕らえられてしまいます。

面白いのは、囚われの身となったカエサルの態度です。海賊たちが彼に二〇タラントンの身代金を要求すると、「お前たちは一体誰を捕らえたのか知らずにいる」と言って、自ら身代金を五〇タラントンに増額しています。そして、部下たちにその金を持ってこさせる間、一カ月以上海賊たちと一緒に過ごすのですが、一緒にゲームをしたり相手を小馬鹿にしたようなことを言ったり、少しも物おじしていないのです。時には海賊たちを「縛り首にするぞ」と脅かすこともあったのですが、カエサルが笑いながら言っていたため、海賊たちは無邪気な冗談だと思っていました。

ところが、身代金が届けられ、自由の身になるやいなや、カエサルはすぐに軍隊を招集し、自らの発言通り、海賊を全員縛り首にしてしまいます。

まあ伝説が残っているとはいっても、海賊たちは全員縛り首にされているし、部下はその場にいなかったわけですから、カエサルが囚われていたときに本当にそうした言動をしていたのかというと、誰にも本当のことはわかりません。

実際カエサルは、非常に自己宣伝が上手い人物だったといわれているので、もしかしたら、「俺はこんな勇ましいことを言い、その言葉通り実行したんだぞ」と、カエサルが自らの宣伝に使ったのかもしれないのです。

アレクサンドロスがそうだったように、「勇気」と「名誉」はカエサルにとっても自らに課した美徳だったといえます。

勇気と名誉を重んじたカエサルは、自分の部下にもそれを求めるところがありました。これはプルタルコスの言葉ではなく、スエトニウスの言葉ですが、カエサルは「兵士を人柄や身分からではなく、ただ勇気からのみ評価した」と伝えています。

では、プルタルコスがアレクサンドロスとカエサルを対比させたのは、二人が何よりも勇気と名誉を重んじた人物であった、というだけの理由なのでしょうか。

プルタルコスははっきりとは記していませんが、私は、この二人がともに大きな時代の転換期に現れた英雄であったことに着目していたからではないかと思っています。

ギリシアでは、それまでのポリスの組織が意味をなさなくなり、新たな構造が求められていたときに、北方に位置するマケドニアが台頭し、ギリシア世界を否応なく動かし、ヘレニズム時代を作っていきました。そうしたギリシアの非常に大きな転換期に現れ、時代を牽引したのがアレクサンドロスなのです。一方、共和政が崩れつつあったローマで、ローマ帝国の礎を作り上げていったのがカエサルです。

そういう意味では、二人とも激動期に出るべくして出た、それだけの大きさを持った人間だったという共通点を持っていたのだと思います。

ローマの繁栄の中で紡がれたギリシア人の誇り

プルタルコスの『英雄伝』を読むときに、心に留めておいていただきたいのが、プルタルコスには「歴史を正確に記録しようという意識はなかった」ということです。

彼が『英雄伝』を著したのは、あくまでも多くの人の「役に立つ物語」となるようにという気持ちからです。

ただし、これはプルタルコスが面白おかしく物語を創作したという意味ではありません。彼の時代に、書かれているエピソードの史料が存在したのは事実です。

つまり、事実と確定できないということは、その史料が事実を記録したものかどうかは定かではない、ということです。

しかし、これは別にプルタルコスに限ったことではありません。古代の歴史書というのは、リヴィウスにしてもスエトニウスにしても、みんな同じなのです。何かを参考にしているけれど、その史料に対して批判的な目は持っていなかったということです。

先にも触れましたが、プルタルコスが生きたのは、ローマが帝国として最も繁栄していた平和な時代です。そういう時代に、過去何百年を遡って、母国であるギリシアの英雄と、今や世界を覇しているローマの英雄を対比させたのは、やはり、かつて世界の文明をリードした母国ギリシアに対する一種の賛辞の行動だったといえると思います。

当初ギリシアは、ローマの支配下にあっても、文化の面においては、ギリシアが先進国であることは疑いようのない事実であり、ローマにおいても敬意の対象とされていました。

ローマの詩人ホラティウスの有名な言葉に「征服されたギリシアが征服者を虜にした」というものがありますが、まさにローマ人たちは、征服したギリシアの文化の虜になっていたのです。実際、ホラティウスの時代のローマでは、哲学や医学、学芸一般においては、ローマ人よりもギリシア人たちのほうが、圧倒的に力を持っていました。

ローマの裕福な家庭は、今私たちが英語を勉強するように、ギリシア語を勉強し、子供が生まれるときちんとしたギリシア語を話すギリシア人の乳母をつけるのがいいとされていたのです。

ギリシア語が使えることは、ローマ人にとってきちんとした教育を受けた証(あかし)であり、歴史書のような、いわゆる教養の書を著す際は、ギリシア語が用いられました。現存していませんが、第四代ローマ皇帝クラウディウスは、ギリシア語を用いて歴史書を書いたと伝えられています。

しかし、そうしたギリシアに対する敬意は、ローマ帝国の繁栄とともに薄れていきます。そして、四世紀頃になると、立場は逆転し、歴史家アンミアヌス・マルケリヌスのようにギリシア人が教養としてラテン語を学ぶようになり、ギリシア人であっても、書物を書くときにはラテン語を用いるようになっていくのです。

プルタルコスの時代は、まだかろうじてギリシアに対する敬意がローマで生きていた時代です。しかし、それがローマの繁栄のもと陰りを見せ始めていたことをプルタルコスは感じとっていたのかもしれません。

そうしたなかで彼は、やはりギリシアの伝統なり精神なり、何かを残しておきたい、あるいは、ローマ人に対してギリシアがどのような影響を与えたのか、そうした歴史的事象を後世に残しておきたいという気持ちから、多くの著作を残したのではないかと思うのです。そして、その典型が『英雄伝』だったのかもしれません。

実際プルタルコスは、アレクサンドロスと対比させたカエサルに、三十歳を過ぎたとき、イベリア半島のヒスパニア（現在のスペイン）に遠征している最中、「今の私の歳で、アレクサンドロスはあれ程多くの民族の王となっていたのに、自分はまだ何一つ華々しいことをなしとげていない」という嘆きの言葉を言わせています。

また、ギリシアのデモステネス（前三八四頃～前三二二）と対比させたローマのキケロ（前一〇六～前四三）の伝記では、キケロがデモステネスを尊敬し、自らが最も苦心したマルクス・アントニウスに対する演説に、デモステネスの演説と同じ「フィリッピカ」というタイトルをつけたことを記しています。

もちろん、『対比列伝』のすべてがそうだということではないのですが、プルタルコスには、ギリシアの英雄とローマの英雄たちを対比させることで、過去のギリシアがいかに素晴らしかったのかを人々に伝えたいという、ギリシア人としての誇りの発露のようなものがあったのだと思います。

最後に、これは余談ですが、プルタルコスの『英雄伝』は、岩波文庫の『プルターク英雄伝』(河野与一訳)が最も読まれているのですが、残念ながら翻訳が古く、今の人にとっては読みにくいものになってしまっています。

そこで今回私は、ちくま学芸文庫の『プルタルコス英雄伝』(上中下全三巻)を種本としました。これは村川堅太郎先生が監修され、読みやすいのですが、全訳ではない上、残念ながら現在は絶版になってしまっています。最近、新訳を京都大学の出版会で行っていると聞いていますが、まだ全訳には至っていません。

私は、古典の翻訳というのは、時代に合わせて、最低でも三十年に一回ぐらいは訳し直したほうがいいと思っています。それも、あまりギリシア語の正確な翻訳にとらわれずに、現代の読者、特に学生など若い読者に訴えることができるようなものを提供することが大切だと考えています。

プルタルコスの『英雄伝』に限らず、現在の若者が古典を読まなくなった背景には、こうした時代と乖離(かいり)してしまった翻訳の問題があると思うのです。良い翻訳が出れば、古典は若者たちの心を惹きつけ、現代においても良き導きの書となる力を持っていると私は思うのです。

04/20

三国志演義

羅貫中

らかんちゅう（生没年不詳）。中国、元末・明初の小説家。『三国志演義』のほか、通俗小説や戯曲を多数残したとされる。湖海散人と号したとされるが、詳しいことはわかっていない。

原本には「通俗三国志」「三国志演義」その他数種あるが、私はそのいずれの直訳にもよらないで、随時、長所を択(と)って、わたくし流に書いた。これを書きながら思い出されるのは、少年の頃、久保天随氏の演義三国志を熱読して、三更(こう)四更(こう)まで燈下にしがみついていては、父に寝ろ寝ろといって叱られたことである。

吉川英治(1892〜1962)
『三国志』「序」より

『三国志演義』は、民間で長く伝承されてきた「三国志」の物語を、明代の羅貫中が、正史『三国志』にあたり、史実に即したかたちで書き上げた歴史小説である。あくまでも小説なので、登場人物たちは超人的な活躍を見せたり、神がかった奇跡を起こしたりもする。だが、そうしたことさえ不自然に感じさせないほど、英傑らの活躍は読む者の心を捕らえる。史実とフィクションの間の絶妙な位置にある文学作品、それが『三国志演義』といえるのではないだろうか。

史実に則った上質な歴史小説

「三国志」をテーマとしたエンターテインメント作品は、中国ではもちろん、日本でも非常に人気が高く、映画やテレビドラマ、ゲームなどたくさんの作品が作られています。そのため「桃園の誓い」や「三顧（さんこ）の礼（れい）」「赤壁（せきへき）の戦い」など、有名なエピソードは多くの方がすでにご存じだと思います。

そうしたお馴染みのエピソードのもととなっているのが、『三国志演義』です。

「三国志」の舞台は、二世紀末から三世紀にかけて、王朝でいうと、後漢末から晋初にかけて、魏・呉・蜀という三つの国が鼎立した「三国時代」ですが、『三国志演義』が書かれたのは十四世紀、明代の中国です。つまり、『三国志演義』は、一千年以上昔の中国を舞台として明代に書かれた歴史小説なのです。

作者とされる羅貫中は、元末から明初の作家で『三国志演義』の他にも『三遂平妖伝』『残唐五代史演義』『隋唐両朝志話』など、いくつかの作品が知られていますが、その出自や生没年など詳しいことはわかっていません。

『三国志演義』に書かれた、魏・呉・蜀という三国が天下を三分した三国時代に活躍した英雄たちの物語は、羅貫中が生まれる以前、宋代にはすでに講談など庶民の娯楽の場で好んで演じられ人気を博していました。そうした講談の台本が、元の至治年間（一三二一～一三二三）には、『全相三国志平話』としてまとめられています。

しかし、この『全相三国志平話』は、不確かな伝承やフィクション、史実の誤りなどを数多く含んでいました。そこで羅貫中は、『三国志演義』を書くにあたり、三世紀末に陳寿（二三三～二九七）によって書かれた正史『三国志』など信頼できる書物と照らし合わせ、そうした誤りを正したといわれています。

事実、これは東京大学で中国史を教えていた尾形勇先生から私が直接うかがった話ですが、『三国志演義』は、もちろんエピソード的な部分はアレンジが加え描かれているものの、歴史的基本事実は正史と比べても、それほど大きくは曲げられていないそうです。

『三国志演義』は、「正史」である陳寿の『三国志』を素材に、面白おかしく書かれた通俗歴史小説だといわれることが多いのですが、史実をきちんと押さえた上で、多くの英雄たちに魅力的なキャラクターを与え、生き生きと描いた質の高い歴史小説だといえます。

そういう意味で、私は『三国志演義』は、楽しみながら古代中国の歴史に触れることのできる古典文学として、読む価値のある作品だと考えています。

曹操、劉備、諸葛亮……登場人物は英傑だらけ

物語は後漢末、一八四年に起きた農民反乱「黄巾(こうきん)の乱」から始まります。

中国の王朝が倒れるときは、支配層が腐敗し、天変地異で飢饉が起こり、苦しい生活を強いられた農民が宗教がらみの反乱を起こし、この混乱を治めるなかで新たな有力者が興る、というのがパターンです。

後漢末も同じでした。このときの農民反乱「黄巾の乱」を指導したのは、太平道という新興宗教を唱えた人物、張角です。彼のスローガンは「蒼天すでに死す、黄天まさに立つべし」でした。ここでいう「蒼天」は後漢王朝を、「黄天」は太平道が信奉する神を意味

黄巾の乱での、関羽、張飛、劉備の活躍が描かれた書物（清代）

しています。「黄巾の乱」は、反乱軍がこの「黄天」を象徴する黄色の布を頭に巻いていたことからついた呼び名です。

この時点では、まだ後漢は滅びておらず、霊帝（在位一六八～一八九）という皇帝が存在していましたが、実際には皇帝とは名ばかりの傀儡で、政治は宦官や外戚たちによって牛耳られていました。

国家にはすでに反乱を鎮圧する力はなく、各地で義勇軍が立ち上がります。そうした義勇軍の一つを率いていたのが、関羽、張飛という二人の豪傑と義兄弟の契りを結んで立ち上がった劉備玄徳でした。劉備は貧しい生活を強いられていましたが、漢の皇室の血統を受け継ぐ志の高い人物です。

こうした義勇軍の活躍もあり、黄巾の乱は鎮圧されますが、世の中の混乱は収まるどころか、一八九年に霊帝が亡くなったことで後継者争いが起こり、激しさが増していきます。この争いに乗じて政治の実権を握ったのが董卓という武将でした。

董卓は自分の意のままになる献帝（在位一八九〜二二〇）を即位させ、その権勢をほしいままにします。

董卓の残忍な圧政に耐えかねた人々は、董卓打倒を掲げ連合軍を結成します。この連合軍には、後に魏の太祖となる曹操や、蜀を建国する劉備も加わっていました。しかし、後に英傑と謳われる彼らもこの時点では董卓に勝つ力はなく、董卓を殺したのは、貂蟬という美女を取りあった董卓の部下、呂布でした。

董卓の死によってさらに世は乱れ、群雄割拠の状況のなか、献帝の身柄を押さえた曹操がその勢力を広げていきます。

曹操に戦いを挑み敗れた劉備は、優れた軍師を求め、三顧の礼を経て、「臥龍（世に出ていない傑物）」と称された諸葛亮孔明を自軍に迎え入れます。

諸葛亮は劉備に、東の呉王・孫権と結び、北の曹操に対抗することで曹操を破り、西の益州（後の蜀）を手に入れることで、天下を三分する「天下三分の計」を進言します。

当時、領土を持たない劉備にとって、これは夢のような策でしたが、劉備は諸葛亮を信じ呉の孫権と結び、長江は赤壁の地で、大河を挟んで曹操の大軍と対峙(たいじ)します。

しかし曹操軍は大軍です、まともに戦ったのでは呉に勝ち目はありません。

呉軍を率いる周瑜(しゅうゆ)は、数で劣る呉が勝利するには火計を用いるしかないと考えますが、あいにくこの季節は風向きが悪く、火計を用いれば自軍が炎に巻かれて壊滅してしまいます。

苦悩する周瑜に、諸葛亮は、自分が風向きを変えることを約束し、祈禱を始めました。すると不思議なことに風向きが変わり、その機を逃さず火を放ったことで、呉軍は赤壁で大勝利を収めたのでした。

そして、曹操軍敗退の混乱に乗じて、劉備は呉の西側に領土を得、そこを足がかりにさらに西の益州を手に入れ、劉備は諸葛亮が最初に献策した「天下三分の計」を見事に実現させたのでした。

『三国志演義』の前半は、このように後漢末を舞台に、曹操と劉備の覇権争いを中心に描かれています。では続く後半はというと、明らかに主人公が諸葛亮に変わっていきます。

前半で活躍した関羽、曹操といった英傑が亡くなり、曹操の死とともに、それまで名前だけは残っていた後漢も献帝が曹操の後を継いだ曹丕(そうひ)に皇帝の位を禅譲(皇位を徳のあるものに譲ること)するかたちで、名実ともに終焉を迎えます。皇帝となった曹丕が、魏を建国し、魏の初代皇帝に就いたからです。

劉備が蜀を建国し、皇帝の位に就いたのは、この後漢の滅亡を受けてのことです。もともと漢皇室の末裔と称していた劉備は、蜀（正しくは蜀漢）の帝位に就くことで、自らが正当な後漢の継承者であることを世に示そうとしたのです。

『三国志演義』の物語は、この後、劉備の死、そして後事を託された諸葛亮の奮闘へと続いていきます。

天の時、人の和、地の利

『三国志演義』の面白さは、なんといってもこれでもかというほど多くの英傑たちが、次から次へと惜しげもなく登場し、活躍することでしょう。

個性的な英傑たちはみな魅力的なのですが、私が最も惹かれるのは、『三国志演義』では往々にして悪者として描かれることの多い曹操孟徳です。

三国のリーダー、魏の曹操、蜀の劉備、呉の孫権は、それぞれ「天の時、人の和、地の利」を得たといわれます。

曹操が「天の時」といわれるのは、後漢との深いつながりの中から台頭してきた人物であるため、新しい権力者になる「それなりの正統性」を持っていたからだといえるでしょう。

それに、実際の曹操は人望もあったようです。『三国志演義』では、悪者として描かれている曹操ですが、中国の人たちは正史を知っているためか、中国人に「三国志の登場人物の中で最も好きな人は？」とアンケートを取ると、圧倒的に人気が高いのは曹操だといわれています。

そして私も、やはり曹操に魅力を感じます。彼は武将として非常に優秀なだけでなく、詩作などの文才もあります。また彼には人間的なキャパシティの大きさみたいなものを感じるのです。

そういう意味では、曹操はローマの英雄カエサルにも匹敵するような人物だったのではないかと思っているほどです。

『三国志演義』では、後漢末に人物批評家として名を馳せた許劭（きょしょう）が、若き日の曹操に、あなたは「治世の能臣、乱世の姦雄」だと言う場面があります。

意味は、治世つまり平和な時代であれば、非常に有能な家臣となるだろうが、乱世、つまり世が乱れた時代には、盗賊のような、狡（こす）いことをしてでも利益を得るような大悪人になるだろう、ということです。

これは正史である『三国志』の「魏書武帝紀」にも記されているエピソードなのですが、実は同じ正史でも『後漢書』の「許劭傳」には、「君清平之奸賊、亂世之英雄（治世では奸賊となるが、乱世では英雄になる）」と、逆の意味の言葉が記されているのです。

どちらが真実なのかは、今となってはわかりませんが、『三国志演義』が広く読まれたことで、「治世の能臣、乱世の姦雄」という表現が、今の曹操の人物像を作り上げているといえるでしょう。

後漢を継ぐ正統性ということでいえば、劉備も漢の皇帝の末裔を称していたのですから、それなりに正統性を持っていたといえます。それでも劉備が「人の和」といわれるのは、義兄弟の縁を結んだ関羽、張飛との強いつながり、そして三顧の礼を尽くして招いた諸葛亮など、それぞれに個性の強い人物たちを束ね、また彼らが命を賭けて劉備に仕えたことからきているのだと思います。

なかでも桃園で、「劉備・関羽・張飛の三人、生は同じくしないけれども、すでに兄弟の契りを結ぶからには、心を一つにし、力を合わせ、苦難に遭い危険にのぞむものを救い助けて、上は国家の恩に報い、下は民草を安らかにしたい。同年同月同日に生まれなかったのは是非もない、ねがわくは同年同月同日に死にたい」と語った三人の誓いは強固で、最後まで揺らぐことはありませんでした。

もちろん『三国志演義』は小説なので、実際彼らがどのような思いで義兄弟となったのか真実はわかりませんが、少なくとも劉備と張飛が関羽の弔い合戦で死んだのは事実です。

孫権は「地の利」といわれるので、ただ呉の立地に恵まれた人物だけのように思われがちですが、孫権もリーダーとして非常に有能な人でした。それに、劉備に劣らず部下にも恵まれています。

赤壁の戦いで呉軍を率いた周瑜などは、『三国志演義』では諸葛亮の活躍の陰に隠れてしまっていますが、正史を読むと、魏の軍隊をおびき寄せて一カ所に集め船に火を放つというアイデアも、現場での指揮も、実際には周瑜がリーダーシップをとっていたらしいことがわかります。

それでも孫権が「地の利」といわれるのは、中国の東南部に位置する呉が、平地が多く、湿潤・温暖で非常に生産力の高い豊かな土地だったからです。

ですからここでいう「天の時、人の和、地の利」というのは、数多の群雄が割拠した後漢末に、ひときわ才を持ち、三国を築いた三人の英傑たちそれぞれが、他の二人より特に秀でていたのは何か、という視点から評したものなのだといえるでしょう。

こうしたさまざまな人物像を楽しむのも『三国志演義』の醍醐味です。

「泣いて馬謖を斬る」をはじめとする、故事成語の宝庫

もう一つ、『三国志演義』の面白さを挙げるなら、多くの故事成語を知ることができることでしょう。

- 髀肉之嘆
- 三顧の礼
- 水魚の交わり
- 苦肉の策
- 士、別れて三日、刮目して相待す
- 危急存亡の秋
- 泣いて馬謖を斬る

など、他にも「三国志」から生まれた故事成語はたくさんあります。

少し解説すると、地位ある人物が、人に礼を尽くして物事を頼むことのたとえとして用いられる「三顧の礼」という言葉は、劉備が諸葛亮を軍師として迎えたいと思い、彼の家

を訪ねたときのエピソードかもととなった故事成語です。

最初に劉備が諸葛亮のもとを訪ねたとき、諸葛亮は留守でいつ戻るかわからないと告げられ、劉備は会えずに帰ります。

二度目に訪ねたときは、旅に出ていていつ戻るかわからないと告げられ、またしても劉備は会えずに帰ります。

当時、諸葛亮は二十代後半、知る人ぞ知る「臥龍」という評判でしたが、要は無名の若者だったわけです。対する劉備は四十代半ば、曹操に敗れたとはいえ、皇室の末裔を名乗り、一軍を率いる一角の人物です。

再度、劉備が諸葛亮を訪ねようとすると、関羽と張飛は、二度も足を運び、留守宅に手紙を置いてきたのだから、呼び出せばいいではないか、と言って反対します。しかし劉備は、礼を尽くしたいとして、三度、諸葛亮のもとに足を運びます。

すると、諸葛亮は在宅していたものの、昼寝をしている最中だと言われてしまいます。普通なら「起こしてほしい」と言うところですが、ここでも劉備は諸葛亮が目覚めるのをじっと待ちます。

そして、諸葛亮が目覚めると、劉備は丁寧に「天下太平のために力を貸してほしい」と丁寧に頼み、ついに諸葛亮は「天下三分の計」を劉備に説いて軍師になることを承諾したのです。

『三国志演義』を出典とする故事成語はたくさんあるのですが、なかでも強く印象に残っているのが「泣いて馬謖を斬る」です。

この言葉は、規律を保つためには、たとえそれが愛する者であっても違反者は厳しく断じることのたとえとして用いられる言葉です。

馬謖というのは、蜀軍の中でも諸葛亮が特に目をかけていた武将の名です。しかし、劉備は馬謖をあまり信用していなかったらしく、亡くなる際、「馬謖は口先だけの男なので、くれぐれも重要なことを任せてはいけない」と言い遺していました。

それでも馬謖をかわいがっていた諸葛亮は、馬謖を北伐軍（魏との戦い）に起用します。ところが馬謖は、諸葛亮の命令に背き、布陣してはいけない場所に布陣し大敗を喫して蜀に逃げ帰ってきてしまいます。

諸葛亮は、それでも個人的には許してやりたい気持ちがあったのですが、宰相としては命令を無視したあげく大敗した責任は問わねばなりません。こうして諸葛亮は泣く泣く、馬謖を斬罪に処したのでした。

この故事成語は、日本ではよく経営者の間で、「自分のかわいがっている部下が、何か大きな失敗をしたときに、切れるかどうか」というときにリーダーの資質を問う言葉として用いられるそうです。

なぜ経営者ではない私が、この言葉に強い印象を持ったのかというと、私の専門であるローマでは、一度や二度の敗戦では敗戦将軍を斬罪したりせず、むしろ積極的に雪辱のチャンスを与えるという気風があったことを知っていたからです。

『史記』のところでも少し触れましたが、やはり人口が多いせいなのでしょうか、ローマ史を知っている私にとって中国史は、どうしても人命が軽く扱われている気がしてなりません。

東西、同時期に生じた「三世紀の危機」の原因

『三国志演義』は歴史小説ですが、全くのフィクションではなく、歴史的事実を踏まえた作品であることは、すでに述べた通りです。

このことを前提とした上で、『三国志演義』を世界史的なコンテキストの中に置くと、非常に興味深い事実が見えてきます。それは、「三世紀の危機」といわれる混迷の時代が、洋の東西で同時に広まっていく様相です。

当時、世界には西と東に大帝国が存在していました。西はローマ帝国、東は漢帝国で

す。実はこの二つの帝国は、奇しくもほぼ同時に誕生した帝国でした。ローマが西地中海世界の覇権を掌握し、「帝国」の実質的な条件を備えたのは紀元前二〇二年、第二次ポエニ戦争におけるザマの戦いでローマが圧倒的な勝利を収めたときです。

その同じ前二〇二年、中国では、漢の高祖・劉邦が項羽を破り、漢帝国の誕生を決定づけた「垓下（がいか）の戦い」が起きています。

このほぼ同時に洋の東西で誕生した二つの帝国は、存亡の危機もほぼ同時に迎えていたのです。

『三国志演義』の舞台となった三国時代は、二世紀の末に起きた黄巾の乱から始まる群雄割拠の時代です。

一方のローマ帝国は、二世紀にローマ帝国が最も幸せだった時代と呼ばれる「五賢帝」の時代を過ごしていたにもかかわらず、コンモドゥス帝（在位一七七～一九二）以降、わずかな期間で皇帝が擁立されては暗殺されるという混乱が続き、三世紀の危機と呼ばれる、同時期に複数の皇帝が乱立する軍人皇帝時代に突入してしまうのです。

不思議なことですが、世界史を俯瞰（ふかん）していると、このように「同じようなこと」が遠く離れた場所で同時に起きていることに気づかされます。

ですから、世界史を広範囲に少し意識しながら、『三国志演義』を読んでいただくのも、面白いのではないかと思います。

ちなみに、中国では、三国時代を経て漢帝国が滅び、新たな統一国家「晋」が成立しますが、ローマ帝国はこの危機をなんとか乗り越え、帝国の威信を蘇らせることに成功します。何が二つの帝国の明暗を分けたのか。興味を抱いた方は、ローマ史にも読書の幅を広げていただければ嬉しい限りです。

05／20

神曲

ダンテ

Dante Alighieri（1265 ～1321）。イタリア、フィレンツェ出身の詩人。ペトラルカ、ボッカッチョと並ぶ、イタリア・ルネサンス文学の先駆者。政治家としても活躍するが、反対派により追放され、放浪のなかで名作を生み出した。

これらの危機の最大の犠牲者ダンテ・アリギエーリ、これは、故国と亡命によって成熟したなんという政治家であろうか！　彼は統治組織におけるたえまない変更や実験的試みにたいする嘲笑を辛辣な三行連句（テルツィーネ）にして表記したが、これは、同じような政情が起こりそうなところでいつまでも諺のように口にされるであろう。彼は反抗と憧憬の心でその故国に呼び掛けたので、フィレンツェの人たちの心を動かさずにはいなかった。

ヤーコプ・ブルクハルト（1818～1897）
『イタリア・ルネサンスの文化』より

著者であるダンテ自身が主人公となり、地獄・煉獄・天国というキリスト教世界の三つの「あの世」を旅するこの物語を、ダンテ自身は「喜劇」と呼んだ。実在のダンテは、クーデターによって故国を追われ、亡命した地で生涯を終えた。そういう意味では、政治家としてのダンテは完全なる敗北者である。しかし、彼は『神曲』という作品を生み出し、その中で政敵を地獄に堕とし、自らは愛する女性ベアトリーチェに導かれ魂を浄化し天国へと昇っていく。『神曲』は今も西洋文学における最高傑作として読み継がれ、人々が『神曲』を読む度に、ダンテの政敵たちは地獄の業火に焼かれ、ダンテは昇天する。本当の意味での人生の勝者はどちらなのか、そんなことを考えさせられる作品である。

『神曲』の原題は『喜劇』だった

ダンテの『神曲』は、ヨーロッパでは『イリアス』『オデュッセイア』ほどではないものの、長く読まれ続けている古典です。文学としての評価も高く、二〇〇〇年に『ロンドン・タイムズ』紙が高名な文芸評論家に「過去千年間の最高傑作は何か」というアンケートを取ったところ、ダンテの『神曲』が選ばれています。

しかし日本では、その知名度の高さに比べ、実際に読んだ人はあまり多くありません。その最大の理由は、どうも『神曲』というタイトルの重厚さと、本の厚みにあるようです。つまり、読む以前に尻込みしてしまう人が多いようなのです。

確かに『神曲』は長編の叙事詩です。物語の主人公はダンテ自身。彼が、地獄・煉獄・天国というキリスト教の死後世界を巡るかたちで進行していきます。

「地獄篇」「煉獄篇」「天国篇」の三篇からなり、各篇は三三歌の三行詩によって構成されています。それに序歌一つを加え、全体では一〇〇歌を数えます。

比喩も多く、キリスト教の知識やダンテが生きた時代背景を知らない者にとっては、内容の理解には「注」が必要になるという意味では、確かに難解な部分もあります。

でも、実際に読んでみると、三行連句によって構成された文章はとても読みやすく、長さが気にならなくなるほどテンポよく読み進めることができます。そして内容も、実は多くの人が尻込みするほど高尚なものではありません。このことは『神曲』の原題からもわかります。

『神曲』という重厚なタイトルは、明治時代に日本で翻訳されたときにつけられたものです。現在ダンテの母国イタリアで用いられている『La Divina Commedia』(英語では『Divine Comedy』)は、直訳すると「神聖な喜劇」ですが、このタイトルも十六世紀半ばにつけられたもので、ダンテがつけたタイトルではありません。ダンテ自身がこの作品につけたタイトルは、『Commedia』、つまり、ただの『喜劇』でした。

なぜ『神曲』が「喜劇」なのでしょう。

それを知るには、ダンテの人生に触れておく必要があります。

ダンテ・アリギエーリ(一二六五~一三二一)が生まれたのは十三世紀のイタリア、父親はトスカーナ地方の都市、フィレンツェで金融業を営む小貴族でした。当時のイタリアは、教皇派と神聖ローマ皇帝派の対立があり、その対立はそのまま地方都市の自治の場においても、対立構造を生み出していました。

ダンテが市政に関わるようになった頃のフィレンツェも、その例に漏れません。そしてダンテはというと、祖父の代から続く教皇派の一員でした。

教皇派と神聖ローマ帝国派の覇権争いは、一二八九年、カンパルディーノの戦いで教皇派が勝利し、決着します。しかし、今度はその教皇派が、フィレンツェの自立政策を掲げる「白派」と、より強く教皇と結びつくことを主張する「黒派」に分裂し、政権を争うようになります。

このときダンテが属したのは白派で、彼は白派の有力者としてフィレンツェの最高委員の一人として市政に深く関わっていくことになります。しかし一三〇〇年、教皇ボニファティウス八世と結んだ黒派がクーデターを断行、その結果ダンテはフィレンツェから追放されてしまいます。

故国を追われたダンテは、イタリア北部の都市を放浪することになります。ダンテが『神曲』を書いたのは、こうした放浪生活の最中だったのです。

愛する者に導かれて巡る死後の世界

『神曲』のストーリーは、ダンテが暗く荒涼とした森の中に迷い込んだところから始まります。時は西暦一三〇〇年春、復活祭の聖木曜日の夜半のことです。

この「一三〇〇年」という年は、すでに述べた通り、ダンテがフィレンツェを追われることになるクーデターの起きた年です。つまり、ダンテの地獄巡りは、現実世界で自分が辛酸をなめることになった年から始まっている、という設定なのです。

森の中で獅子や狼といった猛獣に追われ、谷底のほうに逃げていったダンテは、そこで一人の男に出会います。

ダンテがその男に助けを求めると、彼は長い間口をきいていなかったらしく、かすれた声で自らの素性を明かします。それを聞きダンテは、その男が敬愛する古代ローマの大詩人ウェルギリウスであることを知ります。

ウェルギリウスは、ダンテに「私についてこい、おまえを案内してやる」と言います。地獄と煉獄を案内しようと言うのです。

敬愛するウェルギリウスに誘われ、一度は地獄・煉獄巡りを決意したダンテですが、やがて自分にその資格があるのか不安を感じ怖じ気づきます。

そんなダンテを見たウェルギリウスは、なぜ自分がダンテを案内しようとしているのか、その理由を話し始めます。

それはウェルギリウスが「天国行きでも地獄堕ちでもない場所」にいたときのことです。一人の清らかで美しい女性が天国からやってきて「自分に代わってダンテを救ってほしい」と頼んだというのです。ダンテが驚いたのは、その天国に住まう女性が、「わたくしはベアトリーチェでございます」と名乗ったということでした。

ベアトリーチェというのは、実在の人物で、ダンテの初恋の女性です。ダンテは彼女に恋い焦がれましたが、その思いは実ることなく、ベアトリーチェは別の男性に嫁ぎ、二十四歳の若さで亡くなってしまいます。彼女の死を知ったダンテが、深く嘆き悲しみ、彼女のことをうたった詩文集『新生』を著したのは有名な話です。

愛するベアトリーチェが自分に救いの手を差し伸べたと知ったダンテは勇気づけられ、この旅を続ける決意をします。

地獄と煉獄はウェルギリウスが案内するけれど、天国はベアトリーチェ自身が案内してくれると知らされたダンテは、この旅を続けていけば、最後には愛するベアトリーチェに会える、そんな希望を胸に、ウェルギリウスとともに地獄の門へと進んだのでした。

九層の地獄に堕ちた政敵たち

こうしてダンテは、地獄、煉獄そして天国という三つの世界を巡っていくのですが、読んでいて圧倒的に面白いのは、やはり「地獄篇」です。

キリスト教世界の地獄といったとき、多くの人が思い出すのが、ダン・ブラウンの小説を映画化した『インフェルノ』にも登場したボッティチェリの『地獄の見取り図』(一四九〇年)だと思います。実はこのすり鉢状の地獄図は、ダンテの『神曲』に書かれている九層からなる地獄の様子を克明に映したものなのです。

「地獄篇」は、西洋のキリスト教社会の地獄のイメージを決定づけた作品といえますが、

『地獄の見取り図』ボッティチェリ作（ヴァチカン教皇庁図書館蔵）

そこには中世キリスト教にもとづく理念が強く織り込まれています。

その一つといえるのが、ウェルギリウスがいた「天国行きでも地獄堕ちでもない場所」の存在です。そこは、地獄の辺境に位置する「辺獄（リンボ）」と呼ばれる場所です。そこは地獄に含まれているのですが、そこにいる人々はいわゆる「地獄の責め苦」にはあっていません。なぜなら、彼らが地獄にいるのは、罪を犯したからではなく、キリスト教以前の世界に生きていたため「洗礼」を受けることができなかった、という理由だからです。

ダンテはそのリンボで、プラトンやアリストテレスといった古代の哲学者、ホメロスのような詩人、ヘクトールやカエサルなど古代の英雄たちとも出会います。

たとえ地獄に堕ちるような罪を犯していなくても、どんなに優れた人間であっても、本人の努力ではどうしようもない理由だったとしても、洗礼を受けられなかった者は全員地獄行きとなる。これが中世キリスト教の理念です。

しかし、地獄で苦しみがないのはこの第一層までです。

地獄は全部で九つの層からなり、生前犯した罪が重くなればなるほど下層に堕とされ、責め苦も重くなります。

ここで面白いのは、ダンテにとって嫌な人間たち、具体的にいえば、フィレンツェにいたときの彼の政敵の多くが、地獄に堕とされて苦しんでいるということです。

つまり、自分が気に入らないヤツ、自分にとってあいつは悪いことをした人間だと判断した連中が、地獄の中のいろいろな場所で責め苦にあっているのです。

たとえば、第八層の第三の嚢（ふくろ）「沽聖者（こせいしゃ）（神を金儲けの道具に使った者）」が堕ちる地獄では、頭を穴の中へ突っ込み、燃える両脚をばたつかせているローマ教皇ニッコロ三世（在位一二七七～一二八〇）の姿を記しています。

私が誰かそれが知りたくて

わざわざ堤を越し崖を降りて来たというのなら、
教えてやろう、私は生前大きな法衣をまとっていた。
事実、私は熊の子なのだが、
子熊たちを出世させようという欲にかられて
現世では金を、ここでは自分を財布につめこんだ。
この私の頭の下には私より前に聖職売買をやった
ほかの法王どもが引きずりこまれて
岩の裂け目に隠れてうずくまっている。

(『神曲』「地獄篇」第一九歌より/平川祐弘 訳/河出文庫)

教皇(法王)の名前は明示されていませんが、当時の人々が読めば、「熊(オルツ)」という言葉を見ただけで、この人物がオルシーニ家の出身であるニッコロ三世を意味していることは、すぐにわかったはずです。

また、『神曲』では亡者が未来を予言する場面がたびたび登場するのですが、ニッコロ三世は、自分が頭を突っ込んでいる穴に、もうすぐ教皇ボニファティウス八世が堕ちてくると語っています。そうです、彼はダンテをフィレンツェから追放するのに一役買った教皇です。

キリスト教の地獄が、日本人が知っている仏教の地獄と根本的に違うのは、仏教の説く地獄が、魂が生まれ変わる六つの世界「六道」といわれる世界の一つに過ぎないことから、どんなに苦しくてもいつかは地獄を脱して生まれ変われるという望みがあるのに対し、生まれ変わる可能性のない「永遠の責め苦」を受ける世界だということです。

キリスト教では、一度地獄に堕ちた魂は、救われることはないのです。

この決して救われることない地獄が、ダンテによって非常に表現力豊かに書かれています。つまり「地獄篇」は、現実世界で政争に敗れたダンテによる、一種の「意趣返し」だといえるのです。

「煉獄篇」に見る、「免罪符」と中世キリスト教

地獄を最下層まで巡ったダンテは、ウェルギリウスとともに次は煉獄を巡ります。

煉獄は、日本人にはあまり馴染みのない概念ですが、地獄に堕ちるほどの罪は犯していない人が、死後その罪を償う場です。

軽いとはいえ罪を犯した人々の行く場所なので、罪の項目だけを見ると、地獄の項目と

似ています。ただ、煉獄が地獄と決定的に違うのは、ここでの苦行には犯した罪を償うことができれば、神の救済を受けて天国に行ける可能性があるということです。

『神曲』に「煉獄篇」があることも、中世キリスト教の理念の表れだといえます。

なぜなら、歴史学的にいうと、地獄と天国は古代的な宗教概念ですが、煉獄は中世に生まれた概念だからです。

ちなみに、煉獄はキリスト教の中でもローマカトリック特有の概念で、正教会やプロテスタントには存在しません。

では、なぜ煉獄という概念が中世に生まれたのでしょう。

これは、中世ヨーロッパのキリスト教社会の中で、ある種の罪を贖う（あがなう）ことによって、罪人にも天国に行ける可能性を残しておく必要が生じたからだといえます。

宗教学的には、煉獄誕生の背景にはさまざまな説があるので、一概にはいえないのですが、中世に「煉獄」が定着した背景の一つに、煉獄に堕ちた魂の救済を謳った「免罪符」の販売に教会が熱心だったことが挙げられます。

事実、ダンテの時代にはすでに煉獄は一般に浸透していましたが、九世紀頃まで遡ると、概念としてはまだ曖昧（あいまい）でした。

免罪符が登場する以前、罪を贖うには「聖地巡礼」などそれなりの行動が必要でした。

そして、聖地巡礼の必要から「聖地奪還」を掲げた遠征である十字軍が行われ、十字軍に参加できない人々に、贖罪（しょくざい）の恩恵を受けるために寄進を行うよう教会が促したことが、免罪符の販売へと進んでいったのです。

免罪符の販売は教会の腐敗を招き、教会の腐敗は宗教改革を招きました。だから、プロテスタントには煉獄の概念が存在しないのでしょう。

先に煉獄の罪は地獄と似ているといいましたが、煉獄には地獄にはない罪もあります。それは「怠惰」という罪です。特に悪事を行わなくても、だらしないというだけで、天国に行くことはできないのです。

煉獄でも、地獄ほどではないものの人々はそれなりの苦行を強いられます。人々の苦しむ姿を見続けてきたダンテの足取りは、だんだんと重くなります。そのことに気づいたウエルギリウスは、ダンテの愛するベアトリーチェの話をして元気づかせます。

優しい父は、私を力づけるために
しきりとベアトリーチェのことを話しながら進んだ、
「もう彼女の眼が見えてくるような気がする」
（『神曲』「煉獄篇」第二七歌より／平川祐弘 訳／河出文庫）

こうして煉獄を巡り終えたダンテは、ウェルギリウスと別れ、ついにベアトリーチェに再会します。天国のベアトリーチェは、現世に生きていたときよりもさらに美しく、ダンテは一目で心を射貫かれます。

そんなダンテを、ベアトリーチェはまるで母親が子供を叱責（しっせき）するように、彼の現世での行状を暴き叱ります。そしてダンテが心から懺悔（ざんげ）するよう促すのでした。

愛するベアトリーチェに懺悔したダンテは、彼女とともに天国に赴き、九層からなる天国を巡り、そこでの語らいの中で、自らの魂を浄化していくのでした。

天国篇は、地獄篇・煉獄篇と比べると、理論的、哲学的な表現が多く、正直なところ個人的には少し物足りない印象を受けました。ただ、ここでいう「物足りない」というのは、わくわくするところが少ないというだけのことで、おそらくダンテとしては、自分の世界観なり、理想論なりを最も強く吐露しているのだと思います。

『神曲』には、非常に多くの人物が次々と登場します。その中には歴史的な有名人も多数存在しますが、「注」を読まないと、どのような人物なのか、われわれにはすぐにわかりません。しかし、そうした人々も、ダンテと同時代の人たちが読めば、これはアイツのことだな、とすぐにわかったはずです。

事実『神曲』では、ダンテにとって嫌なヤツは、たとえそれがローマ教皇であっても、物語の中では地獄に堕ち、永遠の責め苦に遭っています。こうして政敵を物語の中で貶めることによって、ダンテは自らの恨みを晴らし、読む人はそれを面白がったのだと思います。だからこそ、ダンテはこの作品に彼らしい皮肉を込めて「喜劇」というタイトルをつけたのでしょう。

そして、この世の恨みつらみを地獄と煉獄で散々ぶちまけた後、ダンテは天国で恋い焦がれた美しいベアトリーチェの叱責を受けて自らの罪を心から懺悔し、彼女や天国の住人たちとの会話を通して、だんだんと自分を浄化させていきます。

ですからこの浄らかな天国世界は、キリスト教世界の天国を描いたというよりは、ダンテ自身が思い描いた宇宙の構造であり、地球のあるべき正しい姿だといったほうがいいのかもしれません。

こうしたダンテの思いは、『神曲』をラテン語ではなく、当時の俗語「イタリア語（トスカーナ語）」で書いたことにも表れています。この時代に、イタリア語で作品らしい作品を書いたのは、ダンテが初めてだったことから、彼は「イタリア語の父」と呼ばれています。

当時の文学作品は、すべてラテン語で書かれていました。実際ダンテも、最初はラテン語で書いていたことがわかっています。

では、なぜダンテは途中でラテン語をやめ、イタリア語で書いたのでしょう。

それはおそらく、この『喜劇』をより多くの人に読んでもらい、自分とともに楽しみ、自分とともに魂の浄化をしてほしいと思ったからなのだと思います。

ルネサンス期に、再生・再評価されなかった唯一のもの

『神曲』は、中世キリスト教社会の神学的、哲学的世界観をベースとした「あの世」という舞台を使って、ダンテ自身が主人公を務めた壮大な「人生絵巻」だといえます。

そこに登場する人物の人生は、すべて中世キリスト教の倫理観・価値観にもとづき、地獄・煉獄・天国という三つの世界に分類されています。

そういう意味では、『神曲』は非常に中世的な価値観に立脚しているのですが、そうした中にもダンテは、たとえば自らの導き役にウェルギリウスを登場させたこともそうですが、いろいろな場面に古代の人たちを登場させています。

彼らはキリスト教以前の人々なので、天国には行けません。でも、あえてそうした人々を登場させ、「彼らの価値」を取り上げたところは、中世ヨーロッパのキリスト教一色の

時代から、ほんの少しではありますが、やがて訪れるルネサンス世界の萌芽といえるのではないでしょうか。

ルネサンスというと、皆すぐにミケランジェロやレオナルド・ダ・ヴィンチといった美術系の芸術家を思い出しますが、実際には文学が先行して時代を牽引していたのです。

そういう意味で、ダンテの『神曲』は、イタリア・ルネサンス文化を研究する上でも、非常に重要な作品だといえるのです。

ルネサンスは、「古代の再生」だといわれます。事実、ルネサンス期には哲学や文学、芸術などの分野で古代の文化の価値が再評価されています。しかし、そうした潮流の中においても、決して再生・再評価されなかったものが一つだけあります。

それは「宗教」です。

ボッティチェリの『ヴィーナスの誕生』に代表されるように、美術作品においては、古代の神々をモチーフにしたものが多く作られていますが、人々の間で古代の神々への信仰が蘇ることは一切ありませんでした。ヨーロッパの人々は、古代の文化を次々と再生させつつも、キリスト教という信仰だけは決して揺るがなかったのです。

ここに、ヨーロッパの大きな特徴があると私は思います。そして、ルネサンスを牽引した『神曲』には、そうしたヨーロッパの特徴が、色濃く表れているといえるのです。

06／20

デカメロン

ボッカッチョ

Giovanni Boccaccio（1313～1375）。イタリアの作家。商人の家に生まれ、ナポリの宮廷に出入りして文人や学者と交わり、ギリシア・ローマの古典を研究。ヨーロッパ全土を往来するなどの多忙な生活のなか、没する間近まで執筆活動をつづけた。

短編集としてみれば、こんなにバラエティに富んだ面白い本はないのである。恋あり冒険あり、奸計あり純情あり、艶笑談から悲恋から、次々と珠玉のようなお話がボッカチオの筆さきからこぼれ出て、興味は尽きない。

田辺聖子（1928〜2019）
『ときがたりデカメロン』より

ルネサンスを牽引したダンテの『神曲』が世に出た約五十年後、同じフィレンツェで、ルネサンスに沸く街の空気を凝縮し閉じ込めたような本が生まれた。ボッカッチョの『デカメロン』である。物語は今読んでもとても面白く、予備知識などなくても十二分に楽しむことができる。しかし、『デカメロン』は単なる娯楽本ではない。読み方によっては、自由の素晴らしさと、自由が持つある種の危険を教えてくれる、類い希なる古典なのだ。

『神曲』のダンテを強く意識していたボッカッチョ

ダンテの『神曲』がルネサンスの端緒に位置する文学作品だとしたら、ジョバンニ・ボッカッチョ（一三一三〜一三七五）の『デカメロン』は、ルネサンスを代表する文学作品といえるでしょう。

『神曲』は、中世キリスト教の価値観を背景に、格調高い三行詩によって地獄・煉獄・天国の姿を見事に描きだしたことから、ダンテは「最高のキリスト教詩人」と謳われています。それに対してボッカッチョの『デカメロン』は、人間の奔放な性や欲を面白おかしく散文というかたちで書き上げたため、教会からは幾度となく「禁書」とされています。

この一見、両極に位置するように見える二つの作品は、実はとても深い関係を持っています。なぜなら『デカメロン』は、『神曲』という作品がなければ生まれていなかったといっても過言ではないからです。

『デカメロン』の著者ボッカッチョは、フィレンツェで金融業を営むイタリア人商人の子として生まれました。彼の父親はパリで仕事をしていたこともあり、母親はフランス人女性で、ボッカッチョはパリで生まれたのではないか、ともいわれていますが、はっきりしたことはわかっていません。確かなのは、ボッカッチョが父親に引き取られ、フィレンツェで成長したということです。

当時のフィレンツェは、イタリアで最も裕福な商業都市でした。商業が発展すれば、いろいろな国、都市との交易が盛んになるので、フィレンツェは自ずと各地の優れた文学作品の一大集積地となっていました。

そんな、初期ルネサンス文化の花が咲き乱れるフィレンツェで育ったボッカッチョが、最も尊敬したのが、同郷の先達にして、『神曲』の著者であるダンテ（一二六五～一三二一）でした。『神曲』の原題『Commedia（喜劇）』に「神聖なる」という意味の「La Divina」という言葉を最初に冠したのは、ボッカッチョだったといわれています。

ボッカッチョとダンテの年齢差は四十八歳、当時の感覚では、二世代の隔たりがあります。それでもボッカッチョは、ダンテを同じ詩人として強く意識していたようです。

事実、『デカメロン』の構成には、ダンテの『神曲』を意識したと思われる点がいくつも見られます。たとえば、『神曲』は全部で一〇〇篇の三行詩から構成されていますが、『デカメロン』は短い一〇〇個の物語からなっています。さらに、『デカメロン』の舞台設定は、ボッカッチョが三十五歳のときである一三四八年としているのですが、それは、ダンテが『神曲』の舞台設定を一三〇〇年、つまりダンテが三十五歳のときとしたことを意識してのことだったと考えられています。

また、ボッカッチョは、単にダンテの書を読むだけでなく、『神曲』についての講義を行うほどの、いわばダンテ研究家でした。『神曲』を愛読し、気に入った詩は暗唱できるほどだったボッカッチョの『デカメロン』には、たびたび『神曲』で使われたフレーズが好んで用いられています。

疫病の蔓延下の「自粛生活」から生まれた物語

『Decameron／デカメロン』というタイトルは、ギリシア語の「deka hemerai／十日」に由来したもので、日本では『十日物語』とも訳されます。

なぜ「十日」なのかというと、タイトルが示す通り十日の間の物語だからです。『デカメロン』というタイトルは、ギリシア語由来ですが、ローマ時代の言葉であるラテン語でも「十」は「decem／デケム」といいます。

私たちには縁遠い言葉のように思うかもしれませんが、実は私たちが現在使っているカレンダーに書かれている十二月を意味する「December」という英語の語源は、このラテン語の「decem／デケム」なのです。

なぜ十を意味するデカが「十二月」なのかというと、もともと「December」は十月だったのですが、紀元前四五年にユリウス・カエサル（Julius Caesar）がユリウス暦を導入する際に、自分の名を冠した七月「July」を、その後、初代ローマ皇帝アウグストゥス（Augustus）が同じく八月「August」を暦に入れたことで、月の名称に二カ月のズレが生じてしまったからなのです。

この結果、七を意味するラテン語「septem／セプテム」が九月の「September」に、八を意味する「octo／オクトー」が十月の「October」に、九を意味する「novem／ノウェム」が十一月の「November」と、七月以降の数が二つずつズレて、カレンダーなどの月の名称に定着することになったというわけです。

1348年にフィレンツェで流行したペストによる惨状を描いたルイージ・サバテッリによる『デカメロン』の挿し絵

『デカメロン』の舞台は一三四八年のイタリア、フィレンツェ郊外の小さな丘の上に広がる森の中に建つ別荘です。そこに集まったのは七人の若き淑女と三人の若き貴公子。なぜ彼らがこのような場所に集まったのかというと、舞台設定となっている一三四八年という年と関係しています。実はこの年は、「黒死病（ペスト）」がイタリアで発生し、ヨーロッパの人口の三分の一が亡くなったといわれるほどの猛威を振るいだした年なのです。

新型コロナウィルスのパンデミックを実際に経験した私たちなら、当時の人たちが、この疫病の蔓延をどれほど恐ろしく思ったか容易におわかりいただけることでしょう。伝染病から身を守る最善の方法は、今も昔も同じで、人との接触の機会を減らすことです。そこで、多くの人たちが、大都市であるフィレンツェから逃げ出しました。

『デカメロン』の一〇人の男女も、そうしたフィレンツェから逃げ出した者たちだったのです。

郊外の館に非難したものの、自粛生活は退屈です。

そこで彼らは、退屈しのぎに毎日一人一つずつ物語を語ることにしました。

『デカメロン』の一〇〇個の物語は、こうした枠物語として展開されていきます。

ここでは百個の物語の中から、面白いものを三つだけご紹介しましょう。

第一日の第一話　（語り手　貴公子パンフィロ）

物語の主人公は、チャッペルレット（チェッパレルロ）という名の男です。

この男は代書人なのですが、これ以上はないというほど、この世のありとあらゆる悪行を重ね尽くした破廉恥な男、ボッカッチョの言葉を引用するなら「この世に生まれついた悪の権化」でした。

そんな男にもついに命運が尽きるときが来ます。

請け負った貸し金取りたての仕事で訪れた、誰一人知り合いのいないブルゴーニュの地で病気になってしまったのです。

病は重く、泊まっていた家のフィレンツェ人の二人兄弟が世話をしますが、ついに臨終のときが迫ります。

フィレンツェ人の兄弟は、チャッペルレットがもうすぐ死ぬとわかって狼狽(ろうばい)します。今さら追い出しては周囲の人から非難を浴びるだろうし、かといって、こんな極悪人が神父に懺悔して臨終の秘蹟を受けるとは、とても思えなかったからです。しかし、当時教会は、秘蹟を受けなかった亡骸(なきがら)は引き取ってくれません。

兄弟がそんな話をしているのを聞いたチャッペルレットは、心配せずに聖人の聞こえの高い神父を連れてくるように言います。

兄弟はいぶかりながらも、修道院へ行って、尊師と敬われている高齢の神父を連れてきます。

するとチャッペルレットは、神父に偽(いつわ)りの懺悔をするのですが、それがまた聖人君子でもあり得ないような些細なことを、「私は許されない罪を犯しました」と涙を流しながら懺悔したのです。その姿があまりにも真実味を帯びていたので、信心深い神父はすっかり騙(だま)されて、チャッペルレットが亡くなると、彼を聖チャッペルレットという「聖人」として祭り上げてしまいます。

その後、ブルゴーニュの人々は、聖チャッペルレットを霊験あらたかな聖者として、篤(あつ)く信仰した、というお話です。

この話を語り終えた貴公子パンフィロは、語ります。

(略)外見的な証拠から推理すれば、奴は天国にいるというより悪魔に捕まって地獄で破滅の苦しみに遭っているというべきではないでしょうか。ただしもしかりにそうであるとしても、神の大いなる善意は、私たちの過ちには目をつむり、もっぱら信心の清らかさにお目をおとめになりました。神の敵である者を私たちのためにとりなす友とし、その男が真の聖人であるかのごとくに神の恩寵の取次ぎ役として私どもの願い事を聴いてくださいました。(略)

(『デカメロン』上/平川祐弘 訳/河出文庫)

チャッペルレットは最後の最後まで悪人で神をも騙したのか、それともいまわの際に自分がしてきたことを心から悔いて懺悔をしたのか。人にはわからなくても、慈悲深い神の目には真実が見えて、こんな悪い男であっても、神から見れば憐れみを施すに値する男であったのかもしれない、だからこそ、聖チャッペルレットは霊験あらたかな聖人と思われたのではないか。要は、人が亡くなった後、地獄に堕ちるか天国に行くかということは、あくまでも神の思し召しであって、人知では判断できないものなのだ、ということです。

『デカメロン』の中で語られる一〇〇個の物語は、どれも短いものですが、その多くに、こうした語り部や聞き手による教訓めいた解説が添えられています。

私がこの話を選んだのは、中世キリスト教の神のイメージは、厳格で恐ろしいものなのですが、この話は、「愛深き優しい神」という神のもう一つの側面を、実にルネサンスらしい自由な解釈で説いていると感じたからです。

五日目の第九話　（語り手　淑女フィアンメッタ）

トスカーナ地方の青年貴族フェデリーゴ・デリ・アルベリーギ。彼はとても優秀な騎士でしたが、若い青年にありがちなことで、当時フィレンツェで最も美しいと評判のモンナ・ジョヴァンナという貴婦人に恋をしました。

フェデリーゴは、彼女の心をつかむためにありとあらゆることを試みますが、残念なことにモンナは彼になびく気配もありません。そしてとうとうフェデリーゴは、それなりの資産家だったにもかかわらず、全財産を彼女の気を惹くために使い果たし、貧乏のどん底に陥ってしまいます。彼に残ったのは、田舎のわずかばかりの田畑と、大切にしていた一羽の鷹だけでした。もはや人並みの面目を保つことさえできなくなったフェデリーゴは、世間との交わりを断ち、田舎で極貧生活を送っていました。

そんなある日、フェデリーゴは、モンナが未亡人になったことを知ります。夫に先立たれても、夫は資産家だったため、残された一人息子との生活に支障はありません。裕福なモンナは、これは当時の上流夫人の常なのですが、夏になると息子とともに田舎の地所に避暑に赴きました。そこは、フェデリーゴが隠棲するところとほど近く、いつしかフェデリーゴとモンナの一人息子は親しくなり、フェデリーゴの鷹狩りに一緒についていくようになっていました。

フェデリーゴの鷹は、世界の名鷹（めいよう）に数えられるほど素晴らしい鷹でした。そんな鷹を見ているうちに、モンナの息子は、自分も鷹が欲しくて欲しくて堪らなくなってしまいます。しかし、フェデリーゴがこの鷹を唯一の友として大事にしていることを知っていた息子は、さすがに「その鷹が欲しい」とは言い出せません。そうして思い悩んでいるうちに、彼は病気になって伏せるようになってしまいます。

息子を心配したモンナは、彼の病床で「何か欲しいものはないか」と尋ねました。最初は口を閉ざしていた息子も、母が何度も尋ねるので、ついに「フェデリーゴの鷹を貰えないかしら」と抱えていた思いを口にします。

モンナは息子の願いを知って悩みます。フェデリーゴが自分に思いを寄せていることは知っています。自分が頼めば彼が鷹をくれることはまず間違いないでしょう。しかし、彼の思いを知りながら一顧だにしなかった自分が、彼に唯一残った鷹まで奪うのは、あまりにも非情に思えたからです。

それでもやはり最後は息子への思いが勝ち、モンナはフェデリーゴに鷹を譲ってくれるよう頼みに行きます。

恋い焦がれたモンナの突然の訪問にフェデリーゴは驚きます。しかも彼女はかつての非礼をわびて、仲直りのしるしに一緒に食事をしたいというのです。

この言葉に喜んだのも束の間、極貧暮らしのフェデリーゴには、モンナをもてなしたくても食事に出せるようなものが何もありません。困り果てた彼の目にとまったのが、件の鷹でした。フェデリーゴは、迷うことなく鷹を調理して婦人に供しました。

食事が終わり、モンナがやっと本題を切り出します。

あなたの鷹を息子に譲ってほしい。そう言われたフェデリーゴは、泣き崩れます。モンナは最初、それを鷹を手放す悲しみからと誤解しますが、フェデリーゴは、それを否定し、すでに食事に供してしまったため、あなたの願いを叶えて差し上げることができないことが情けなく悲しいのだと告白します。

モンナはフェデリーゴの貧すれど貪しなかった気位に感銘しますが、息子の望みを叶えてやれなくなったことを嘆き、悄然（しょうぜん）として帰宅します。

鷹が手に入らなかった傷心もあってか、間もなく息子は亡くなります。裕福だが孤独な未亡人となったモンナに、周囲は再婚を迫りました。

どうしても再婚しなければならないのなら、そう考えたとき、彼女の脳裏に浮かんだのは、フェデリーゴの立派な人柄と自分に対する深い敬愛でした。

こうしてモンナとフェデリーゴは結ばれ、二人は至福のうちに暮らしたのでした。

この話には解説はついていませんが、あえて私が得た教訓を述べるなら、やはり、「変なところでそろばんをはじかず、物事は徹底したほうが良い」ということでしょうか。

第八日の第四話　（語り手　淑女エミーリア）

この話の主人公は、彼らの集（つど）う森の館からほど近い、フィエーゾレの丘に建つ荒廃した教会が、かつて大聖堂だったときの司祭です。

　この司祭は、美しく高貴な未亡人ピッカルダに思いを寄せていました。もちろん司祭が女性に邪な思いを持つなど本来は許されないことなのですが、当時はそういうことは決して珍しいことではありませんでした。そこで、未亡人への恋情を募らせた司祭は、ついに彼女に「自分の愛を受け入れてくれ」と迫りました。

　しかしピッカルダ夫人は、この、結構な歳なのに気持ちだけは若く、人を人とも思わない居丈高な言動で周囲から嫌われていた司祭が大嫌いでした。そこで夫人は、最初やんわりと、でもきっぱりと断るのですが、司祭はしつこく食い下がります。

　あまりのしつこさにほとほと困り果てたピッカルダ夫人は、自分の弟たちに事情を話し、司祭を罠に掛けることを決めます。そして、司祭に「わたくしがそれほどお気に召すなら御身にわたくしをお任せいたしましょう」と、彼の誘いを受け入れることを告げました。

　喜んでいつ思いを遂げられるのか、せっつく司祭に、ピッカルダ夫人は、自分の家は弟が二人いるので難しいだろうとしながらも、こう言ったのです。

ただし、家に来て唖か聾のようにしていれば別でございます。一言も喋らず、囁き

もせず、暗闇の中で盲(めくら)のようにしている。そうすれば大丈夫でございましょう。弟たちはさすがにわたくしの寝室へははいりません。

(『デカメロン下』下/平川祐弘 訳/河出文庫)

喜んでこの提案を承知した司祭に、夫人は「このことは絶対秘密にしてください」と口止めすることも忘れませんでした。

ピッカルダ夫人には、チウタッツァと呼ばれる一人の小間使いがいました。この小間使いは、歳もあまり若くはなく、「これほど不細工な女が世に二人といようか」と言われるほど残念な容姿をしていましたが、「悪さも心得た才覚のある女性」でした。

夫人はチウタッツァに、今夜私のベッドで男の人と寝てほしい、ただしひと言も口を利(き)いてはいけません。もし私のためにひと働きしてくれたら、新品のブラウスを買ってあげるから、と言うと、チウタッツァは二つ返事でこれを引き受けました。

司祭はそんな計画が進んでいるとは夢にも思わず、夜になると夫人のベッドに潜り込み、そこに寝ていたチウタッツァを夫人だと信じて事に及んだのでした。

チウタッツァが首尾よく役目を果たしている一方で、夫人の弟たちは、かねてからの計画通り、司教を自宅に招き、司祭とチウタッツァが寝ている部屋へと案内します。闇に包まれていた部屋が、松明（たいまつ）で照らされます。そこで司教が目にしたのは、チウタッツァを腕に抱いたまま休んでいるあられもない司祭の姿でした。

司教は烈火のごとく怒り、司祭を罵（ののし）ります。部屋が明るくなったことで、司祭は夫人に騙されたことを知ります。

その後、司祭は改悛（かいしゅん）の苦行を課せられ泣いて過ごしますが、その苦行より辛かったのが、村の子供たちに、不細工なチウタッツァと寝た男だとはやし立てられることでした。

「自由」に浮かれたルネサンス期の人々への警鐘

『デカメロン』は、よく「艶笑譚（えんしょうたん）」だというういわれ方をしますが、その面白さは単なるエロティックさにあるのではなく、十四世紀のイタリアの生活と風俗を風刺的に描きだしている点にあります。

三つ目の司祭と未亡人の話も、この未亡人と弟たちは物語の最後で司教から褒められているのですが、本当に彼女は善人なのかというと、女中を身代わりにしたり、司祭を罠にはめて恥ずかしい思いをさせたりと、かなりしたたかというか、意地の悪いところがあります。

まあ、人の世でどこに正義があるかなどということを言い出したら切りがないものですが、『デカメロン』がそれまでの単純な勧善懲悪の物語とは一線を画した、非常にルネサンス時代らしい文学作品であることは、やはり注目すべきことだと思います。ルネサンス時代、人々は、長きにわたった中世の束縛から解放されて自由を享受します。

しかし、その「自由」に、非常に危険な側面が含まれていることにボッカッチョは気づいたのでしょう。

人間が中世的な束縛から解放されて、自由を謳歌できるようになったことは大事なことだし、人々にとって喜ばしいことです。

しかし、だからといって、あまり浮かれすぎてはいけない。なぜなら、その浮かれた姿、やっていることは、見方によっては滑稽で、恥ずべきことかもしれないからです。『デカメロン』の風刺性は、自由に浮かれたルネサンス期の人々に対し、「自由」は素晴らしいものだが、その使い方を誤れば、身を滅ぼすことにもなりかねない危険なものでもある、というボッカッチョからの警鐘なのだと思います。

事実、自由奔放に『デカメロン』を著したボッカッチョも、その後、これを書いたことを少しだけ後悔し、真面目な宗教生活へ進んでいるからです。

07/20

ドン・キホーテ

セルバンテス

Miguel de Cervantes Saavedra（1547～1616）。スペインの小説家。兵役に服したのち、5年にわたる捕虜生活を経験。その後も入獄・破門を経験するなど、その生涯は波乱に富んだものだった。

ドン・キホーテは実に悲しい。

そして「悲しい」といふ言葉の中に、

あらゆる「美しさ」を含めて居る悲しさである。

萩原朔太郎（1886〜1942）

「ドン・キホーテを見て」より

時代遅れの騎士道物語に傾倒したあげく、自分を遍歴の騎士と思い込んだドン・キホーテ。痩せ馬ロシナンテに跨がり、おしゃべりな従者サンチョ・パンサを連れて、実際には何事も起きていない平和な田舎町で、彼は巨人や軍隊、魔法使いたちと戦う大冒険を脳内で繰り広げる。端から見れば頭のおかしなこの男を、私たちはただの狂人と笑い飛ばしていいのだろうか。人間誰しもが持つ狂気を誇張して描いたこの物語は、あまりにも多くの教訓と示唆を笑いの奥に秘めている。

「騎士道物語」の読みすぎで狂った郷士の物語

スペインの作家ミゲル・デ・セルバンテス（一五四七〜一六一六）の代表作『ドン・キホーテ』は、とても有名な小説です。原題は『El ingenioso hidalgo Don Quijote de la Mancha』「機知に富んだ郷士、ラ・マンチャのドン・キホーテ」という意味です。

主人公は、タイトルにもなっている通り、スペインのラ・マンチャ地方に住むドン・キホーテと名乗る男です。しかし、彼の本当の名前はドン・キホーテではありません。彼は、キハーダ（あるいはケハーナ）という名の、五十歳ほどの痩せた田舎郷士です。

彼の家には四十歳を過ぎた家政婦と、まだ二十歳前の姪、あとは下男と痩せた馬と足の速い猟犬がいるだけでした。その生活はあまり裕福なものではありませんでしたが、彼には畑を売ってまで買いあさったものがありました。

それは、騎士道物語の本でした。

騎士道物語とは、中世ヨーロッパに始まる文学の一ジャンルですが、その背景にあるのは、七一八年から一四九二年まで続いた、キリスト教国家による、イスラム勢力からイベリア半島を奪還しようという、再征服活動「レコンキスタ」です。

もともと騎士道をテーマにした物語は、アーサー王と円卓の騎士を題材にしたものなど、騎士の武者修行物語として誕生しましたが、次第に冒険やロマンスの要素が強くなり、魔法や怪物などファンタジーの要素も加えられていきました。

こうして人気を博すようになった騎士道物語の典型は、見知らぬ土地を旅する遍歴の騎士が、美しい姫に出会い、心優しい姫のために強大な敵、この敵というのがドラゴンや巨人といった怪物なのですが、そうした敵を激闘の末に倒して、王に認められるというものでした。

こうした騎士道物語の最盛期は十六世紀。セルバンテスが『ドン・キホーテ』を書いたのは十七世紀ですから、すでに騎士道物語のブームは去り、少々古くさい読み物となっていた時代といえます。

主人公は、そんな騎士道物語を、朝から晩まで読みふけり、あまりにも熱中しすぎた結果、理性を失ってしまいます。

そして、騎士道物語の中で繰り広げられる「魔法、喧嘩、決闘、大怪我、愛のささやき、恋愛沙汰、苦悩、さらには、ありもしない荒唐無稽の数々からなる幻想」に頭の中が支配され、現実世界が騎士道物語の世界に見えるようになり、自分を遍歴の騎士だと思い込んでしまったのです。

醒めることのない妄想の中で繰り広げられる冒険

遍歴の騎士である以上、ドン・キホーテも冒険の旅に出なければなりません。

そこで彼は、錆び付き、カビだらけになっていた曾祖父の甲冑を引きずり出し、掃除して、欠けた部分を厚紙で補修します。そんな時代遅れで不細工な甲冑を身にまとい、家にいた痩せ馬に「ロシナンテ」という名前をつけ、着々と旅の準備を進めていきます。

名前をつけたのは馬だけではありません。騎士である自分自身にも、ふさわしい名前が必要と考えた彼は、一週間も思案を重ねた末、「ドン・キホーテ・デ・ラ・マンチャ」とつけました。

さらに、騎士には「思い姫」が必要だということで、彼の村から遠くないところに住む一人の田舎娘に「ドゥルシアーネ・デル・トボーソ」という名前を勝手につけて、自分の思い姫に仕立て上げます。

こうして意気揚々と冒険の旅に出たドン・キホーテですが、彼の最初の旅は、苦難と嘲笑と挫折によって、わずか三日で終了してしまいます。商人の一行が遍歴の騎士の一行に見えたドン・キホーテが、「おあつらえむきの冒険」とばかりに、戦いを挑み、見事にたたきのめされてしまったからです。

しかし、自力では起き上がれないほど痛めつけられ、知り合いの農夫に家に運ばれても、ドン・キホーテは妄想から醒めることなく、彼の頭の中では、依然として勇敢な騎士の冒険譚が繰り広げられていました。

そのためドン・キホーテは、もちろん冒険の旅を諦めるようなことはしません。

二度目の旅が最初の旅と違っていたのは、従者を連れていくことを決めたことでした。そしてドン・キホーテは、近所の「ちょっとばかり脳味噌の足りない男」サンチョ・パンサを、この冒険で島が手に入ったらお前をその島の領主にしてやるからなどと口から出任せを言って口説き落とし、自分の従者にしてしまいます。

ドン・キホーテとサンチョ・パンサ像（ベルギー、ブリュッセル）

従者といっても、サンチョ・パンサは主人の言うことにただ黙って従う者ではありません。ドン・キホーテが、お前はどうしてそんなにおしゃべりなんだ、と思わず言うほどよくしゃべるのです。

しかもサンチョ・パンサは、そのおしゃべりにことわざを多用するのです。ろくに文字の読み書きもできないような男が、なぜこんなにも多くのことわざを知っているのか、という矛盾もありますが、そのことわざの使いどころが正しくないというか、とんでもないところでとんでもない言葉を使ってしまうので、ただでさえおかしな旅がさらに大変なことになっていくというわけです。

この、サンチョ・パンサとともに行く二度目の旅で繰り広げられるのが、『ドン・キホーテ』の中で最も有名な、巨人に見えた風車にドン・キホーテが戦いを挑んでいくというエピソードです。

他にもこの二度目の旅でドン・キホーテは、羊の群れが軍隊に見えてしまうなど、実際には何事もない平和な田舎で、彼にとっての大冒険を繰り広げていくことになります。

ドン・キホーテが見せる「狂気」の正体

『ドン・キホーテ』は、派生作品のとても多い古典です。ドイツの作曲家リヒャルト・シュトラウスの交響曲『ドン・キホーテ』や、バレエ作品、映画、また、日本でも人気のミュージカル『ラ・マンチャの男』などもそうです。そのため、原作を読んだことがなくても、そのストーリーはなんとなく知っている人も多いのではないでしょうか。

ところが、『ドン・キホーテ』のストーリーを知っている人でも、実は『ドン・キホーテ』には、前篇と後篇が存在していることを知っている人はあまり多くないようです。

事実、岩波文庫の『ドン・キホーテ』は全部で六冊からなりますが、その表記は『ドン・キホーテ　前篇』三巻、『ドン・キホーテ　後篇』三巻と区別されています。

そして、風車のエピソードを始めとする有名なエピソードのほとんどは、実は『ドン・キホーテ』の前篇に登場するもので、後篇のストーリーはあまり知られていないのです。

前篇が出版されたのは一六〇五年。『ドン・キホーテ』はすぐに人気を博し、セルバンテスも文筆家として脚光を浴びます。

どうもセルバンテスは、前篇を書いた当初は、これで作品を完結させるつもりだったようなのです。しかし、『ドン・キホーテ』の評判がとてもよかったことに加え、出版時の契約方法が禍し、前篇が大ヒットしたにもかかわらず、ほとんどお金が入らず生活が苦しかったため、後篇を書くことにしたといわれています。

こうして十年後の一六一五年に後篇が出版されました。

前篇も後篇も主人公はドン・キホーテで、ストーリーも連続しているのですが、十年という間が空いているためか、その作風には大きな違いが見られます。

前篇は、基本的にフィクションの世界の中だけで物語が進行していくのですが、後篇は、物語の中でも『ドン・キホーテ　前篇』が世に出て、それが世の中に普及しているという設定になっています。

つまり、フィクションの中に現実の要素が盛り込まれ、それを踏まえた批評が物語中で展開されるという「メタフィクション」の要素が盛り込まれているのです。

そのため後篇では、登場人物たちはドン・キホーテが妄想に取り憑かれていることを知っていて、いろいろな場面で、そんなドン・キホーテをからかう場面が登場してきます。

たとえば、後篇の重要人物に城持ちの「公爵夫妻」が登場するのですが、彼らは『ドン・キホーテ　前篇』の愛読者で、ドン・キホーテの狂気を知った上で、いろいろと仕組んで彼をからかって楽しみます。

もう一つ、前篇と大きく違っているのは、前篇のドン・キホーテが、騎士道に狂い、風車のエピソードに代表されるように、妄想に支配されて現実がありのままに見えなくなってしまっているのに対し、後篇のドン・キホーテは、自らの狂気に騙されることなく、現実が現実のまま見えます。もはや旅籠が城に見えることも、田舎娘が麗しき姫に見えることもありません。

そのため、後篇のドン・キホーテは、現実と自分の妄想世界の相克に苦しむことになります。でも、それはそれで、後篇には前篇とはまた別の面白さがあることも事実なのです。

ドン・キホーテのキャラクターについて、よく「騎士道物語に狂わされた人」という言い方がなされますが、彼は別に頭がおかしくなっているわけではありません。その証拠に、通常の状態のときは、非常に冷静な教養人として描かれています。

　では、ドン・キホーテが見せる「狂気」の正体とは、何なのでしょう。

　二十世紀を代表する精神科医にして心理学者でもあるユングの言葉に、その正体が垣間見えるものがあります。


「精神が狂っていない人がいるなら見せてもらいたい。わたしがその人を治してあげよう」


　私はこの言葉を二〇一九年に監修した『やばい世界史』（ダイヤモンド社）という本の「はじめに」にも引用しましたが、要は、心や精神が完全に正常な人間はいない、みんなどこかしら異常な部分や、正気ではない部分を持っている、ということです。

　その誰もが持つ「正気ではない部分」を誇張して、人間の類型として描いたのがドン・キホーテだと考えれば、普段は冷静沈着で博学で物分かりも良いのに、こと騎士道のことになると急に狂いだすというキャラクターが、非常に人間らしいものに見えてくるのではないでしょうか。

　誰でも持っている一面を誇張して、笑える作品にしているという意味では、セルバンテスにはユング的な視点や発想があったのかもしれません。

セルバンテスの生きた、過去の栄光と変化の時代

ドン・キホーテの「狂気」は、程度の差こそあれ、誰もが持っているものですが、セルバンテスがその狂気の対象を騎士道物語にしたのには、やはり時代背景が影響しています。

しかし、時代背景やセルバンテスの人生を知っておくと、物語をより深く楽しむことができます。

『ドン・キホーテ』は、今から約四百年も前に書かれた小説ですが、とても読みやすく、基本的には歴史的な予備知識がなくても楽しく読み進めることができます。

『ドン・キホーテ』が書かれたのは、十七世紀初頭のスペイン。当時のヨーロッパには宗教改革の嵐が吹き荒れていました。その中でスペインは、カトリック（旧教）の盟主という立場にありました。

作者のセルバンテスは、下級貴族の生まれであまり高い教育は受けられなかったようですが、幼い頃から読書好きで、十七歳の頃に転居したマドリードでは、ルネサンスの人文学者ロペス・デ・オヨスに師事しています。

その後、当時のスペイン国王フェリペ二世（在位一五五六～一五九八）の領土があった

イタリアに渡り、ナポリでスペイン海軍に入隊。一五七一年のオスマン帝国対教皇・スペイン・ヴェネツィア連合軍による「レパントの海戦」に従軍、負傷しながらも従軍を続け、やっと本国へ帰国する途中、今度は海賊に捕らえられ、オスマントルコ領であったアルジェで五年間もの捕虜生活を送っています。

捕虜生活から解放され帰国した後のセルバンテスは、スペイン無敵艦隊の食料調達官として働いていますが、強国スペインの象徴とされた無敵艦隊も、この時期にはすでに「無敵」ではなくなっていました。なぜなら、一五八八年に英仏海峡で行われたアルマダの海戦において、イングランド艦隊に敗れてしまっていたからです。

そういう意味では、セルバンテスが『ドン・キホーテ』を執筆した頃のスペインは、没落期とまではいわないにしろ、沈滞期に入っていたといえるのです。

こうした時期に、セルバンテスが「普段は冷静沈着で博識な初老の貴族なのに、時代遅れの騎士道物語に熱中し、妄想の中で冒険の旅をする男の物語」を書いて、大ヒットしたのは、やはり当時のスペインの人々が母国の没落の中で、「過去の栄光」を懐かしみつつも、時代の変化を強く感じていたからなのだと思います。

実際、『ドン・キホーテ』の中には、たびたびムスリム（イスラム教徒）を意味する「モーロ人」が登場しますが、この時代のスペインには、レコンキスタの後も領内に残ったムスリムが数多くいました。

しかしスペインでは、十六世紀の初め頃から始まった宗教改革の波に対抗するため、次第にカトリックの強化が進められていきました。新大陸やアジアなどに向けて宣教師が盛んに派遣されていったのもこうした動きの一環でした。

そうしたなかで、スペイン国内のムスリム「モーロ人」たちにも選択が迫られます。自ら国外に出ていくか（追放処遇されるか）、あるいはカトリックに改宗するかです。

ですから、『ドン・キホーテ』が書かれた時期にスペインにいたモーロ人たちというのは、カトリックに改宗した元ムスリムの人々だということになるのですが、彼らは特に「モリスコ」と呼ばれました。

しかし、モリスコはカトリックに改宗した人々であるにもかかわらず、スペインキリスト教社会に完全には受け入れられず、反乱と鎮圧、国内強制移住を経て、最終的にはフェリペ三世（在位一五九八〜一六二一）の時代に国外追放されてしまいます。

そうした歴史を踏まえてのことなのでしょう、モリスコが数多くスペインに在住していた時期に書かれた『ドン・キホーテ』の前篇では、ドン・キホーテとサンチョ・パンサが暮らしていた村に住んでいるモリスコの友人リコーテが登場しています。そして、モリスコが追放されたのちの時期が舞台となっている後篇では、追放されていたリコーテがスペインに潜入して、サンチョ・パンサと再会する話が書かれています。

このように、前篇と後篇を読み比べて、その十年間に起きたスペイン社会の歴史的な変化を知るというのも面白い試みだと思います。

セルバンテスの優れた洞察力と、作中にちりばめられた教訓

『ドン・キホーテ』は、今から四百年以上前に書かれた古典ですが、今でも面白く読むことができます。

なぜ『ドン・キホーテ』はこれほど面白いのでしょう。これは、若いときには意識しなかったのですが、今回改めて読んでみて、その秘密はこの作品が持つ「劇画性」にあると気づきました。

『ドン・キホーテ』は、「文字で書かれた劇画」のような作品だったのです。

たとえば、主人公のドン・キホーテと従者のサンチョ・パンサのキャラクター設定が細かくなされているところもそうですが、何よりも劇画性が高いのは、ドン・キホーテが失敗したり、冒険をしたり、次から次へとテンポ良く話題が進んでいくことです。また、本筋の物語が進んでいくだけでなく、一つの短編にしても良いような面白い話が途中にいく

つも盛り込まれているため、読者は飽きることなく物語の世界に引き込まれていくことができます。

こうした劇画的演出は、セルバンテスが意識的に行っていたことなのでしょうか。

実は、このことについて、セルバンテス自身の思いが見て取れるところが『ドン・キホーテ』の中にあります。

（略）たえず頭と手とペンを、ただひとつのテーマについて書くことに、そして、ごくわずかな人物の口を介して話すことにさし向けてゆくというのはひどく耐えがたい仕事であり、しかも、そうした苦労が作者の功績となってあらわれ出るわけでもない。

（『ドン・キホーテ』後篇(二)第四四章／牛島信明 訳／岩波文庫）

ここでいう「ただひとつのテーマ」とは、ドン・キホーテとサンチョ・パンサの冒険のことです。そして、その耐えがたさから、彼はいろいろなエピソードや短編を作品の中に挟み込むという「工夫」をしたのだと述べているのです。

しかし、「多くの読者はドン・キホーテの数々の手柄ばかりに気をとられ」そうした挿話は読み飛ばして「それらが内に秘めている趣向や技巧」には気づいてくれなかった、と嘆きます。

そして、だから後篇では挿話は極力控えたのだから、読者には、そうした苦労をないがしろにせず「実際に書いたところではなく、むしろ書かずにおいたところに対して賛辞をおくってもらいたい」と要求までしているのです。

事実、注意深く読んでいくと、ドン・キホーテ自身はもちろん、作中人物の一人ひとりが時々「はっ」とするような鋭いセリフを吐いていることに気づかされます。

セルバンテスは、多くの名言を残した人として知られていますが、それはおそらくセルバンテス自身の人生経験を通して培われた、人間に対する洞察力から生まれたものなのだと思います。そして、自分が得た教訓や気づきをいろいろな登場人物を通して伝えているのでしょう。

そういう意味でも、この作品は単に面白おかしいものではなく、読む人の心にぴりっとくる言葉やエピソードが随所にちりばめられている非常に優れた古典なのです。

おそらくセルバンテスの中には、一本調子で一つの物語が進んでいくのではなく、さまざまな人物や、出来事、一見すると本筋とは関係ないような挿話も含めて、自分が作品のいろいろなところに仕掛けたものを、読者が登場人物と一緒になって楽しんでほしいという思いがあったのではないでしょうか。

08/20

アラビアンナイト

作者不詳

さてはアラジンの魔法のランプ、空飛ぶ絨毯（カーペット）など、これらはふつうでは考えられない、理屈に合わない超現実的なイメージだからこそ感動的なのです。

岡本太郎（1911-1996）
『今日の芸術』より

「開け、ゴマ！」の呪文や、ランプの魔人、空飛ぶ絨毯(じゅうたん)など、我々にも馴染み深いこの物語の成立事情は謎につつまれており、発祥の地であるはずの中東では歴史書にその断片が残されたのみであった。『アラビアンナイト』は、イスラム世界の説話集であると同時に、「好色にして残虐」という東洋のイメージを脚色し広めようとした「支配者」の姿を見せるものなのかもしれない。

エロティックさと残酷さを併せ持った「枠物語」

日本では『千夜一夜物語』の名でも知られている『アラビアンナイト』。このタイトルを聞いて、「シンドバッドの冒険」や「アラジンと魔法のランプ」「空飛ぶ絨毯」に「アリババと四十人の盗賊」など、子供にもお馴染みの物語を思い出す人も多いことでしょう。そのため『アラビアンナイト』は子供向けの本だと思っている人も多いのですが、必ずしもそうとは言い切れません。なぜなら、『アラビアンナイト』は、いわゆる子供向けの説話集ではなく、先にご紹介した『デカメロン』同様、「枠物語」となっており、その枠のお話はエロティックさと残酷さを併せ持った物語だからです。

では、子供向けの本には載ることのない『アラビアンナイト』の枠物語とは、どのようなものなのでしょう。

――昔、ササン朝ペルシアにシャフリヤールという名の王がいました。彼には弟がいて、あるとき、二人は久しぶりに再会しますが、どうも弟の顔色が冴えません。心配したシャフリヤール王が尋ねると、弟は自分の妻が奴隷と浮気をしていたと告白します。しかし、弟を慰めている場合ではありませんでした。調べてみると、王の妃も奴隷と浮気していたのです。しかも複数の奴隷と。

傷ついた兄弟は、自分たちよりも不幸な者を捜す旅に出ます。

その旅の途中で兄弟は一人の魔神に出くわします。驚いた兄弟が木の上に隠れて見ていると、魔神は木陰で寝てしまいます。すると、魔神が担いでいた櫃の中から一人の美女が出てきて、木の上の兄弟に、下りてきて自分を抱くよう誘ってきたのです。

二人は尻込みしますが、応じないと魔神を起こすと脅され、結局、二人ともその美女と関係を持ってしまいます。そして、美女は五七〇個もの指輪を連ねた数珠を見せ、これはすべて自分が魔神の目を盗んで寝た男のものだと言って自慢したのです。

この美女の言葉を聞いたシャフリヤール王は、女というのは魔神すらも騙すものなのかとショックを受け、すっかり女性不信になってしまいました。

その後、王宮に戻った王は不義を働いた妃を成敗（せいばい）し、その後は生娘しか寝所に召さず、しかも一夜をともにした娘は翌朝首を刎（は）ねるようになってしまいました。

そうした状態が長く続いたことで、国から生娘がほとんどいなくなってしまいました。王のお召しに応じることができず宰相が困っていると、彼の娘のシェヘラザードが自ら王のもとに行くと申し出ます。

父である宰相は、娘を失うことを恐れて止めますが、シェヘラザードの決心は固く王の寝所へ赴きます。そして、王に「面白い話」を語りました。

彼女の話は夜明けまで続き、朝日が昇り始めると「続きはまた今夜」と言います。話の先が気になる王は、シェヘラザードの首を刎ねるのを一日延ばします。

こうしてシェヘラザードは、毎晩王に「面白い話」を語りました。

一つの話が終わってしまったときは、「明日はこれよりもっと面白い話がございます」と言うので、王は話が聞きたくて、首を刎ねるのをまた一日延ばします。こうして夜な夜な王の寝所で、シェヘラザードは命がけの「面白い話」を語っていくのです。

この、シェヘラザードによって夜ごと語られた「面白い話」の数々こそが、『アラビアンナイト』に収められているお話なのです。ちなみに、物語の中には、ハールーン・アッ

＝ラシード（アッバース朝五代目カリフ＝ムハンマドの後継者として政治上、宗教上の権力を持つイスラム世界の指導者／在位七八六〜八〇九）など、実在する人物も登場しますが、シャフリヤール王はササン朝ペルシアの王と書かれているものの架空の王様です。

余談ですが、第八八回（二〇二一年）日本ダービーの優勝馬はシャフリヤールでした。

二八二夜分しかなかった「千夜」の物語

『アラビアンナイト』が、作品として成立したのは、九世紀頃のイスラム帝国、イスラム教の開祖ムハンマドの叔父アッバース・イブン・アブドゥルムッタリブの子孫をカリフとしたアッバース朝（七五〇〜一二五八）時代だと考えられています。なぜなら、発見されている最も古い写本が、イスラム暦二六六（西暦八七九）年という年号が記された紙に書かれていたからです。

その写本は冒頭の部分だけで、著者名は書かれていませんでしたが、タイトルはアラビア語の『キターブ・フィーヒ・ハディース・アルフ・ライラ』、直訳すると「千の夜の物語の書」と書かれていました。

実は『アラビアンナイト』の古写本にはさまざまなものがあり、タイトルも統一されていません。十世紀のバグダッドで書籍商をしていたイブン・ナディームという人が残した図書目録に、中世ペルシア語で『ハザール・アフサーン（千の物語）』という本についての記述があり、その内容は『アラビアンナイト』の枠物語とほぼ一致する内容になっています。

また、エジプトのカイロにあるシナゴーグ（ユダヤ教の会堂）に保管された、記録「カイロ・ゲニザ（ゲニザ文書）」の中に、十二世紀に『アルフ・ライラ・ワ・ライラ（千一夜）』という本の貸し出し記録が残っています。

古い時代の写本は「千夜」の物語だったのが、ここにきて、なぜか「千一夜」となったというわけです。

ここまでは、どれも『アラビアンナイト』祖型の存在を証明するものではありますが、断片や記録ばかりで、祖型そのものとはいえません。

では、現在の『アラビアンナイト』の祖型といえるものは、どのようなものなのでしょう。

この話をするには、『アラビアンナイト』がどのようにして世界に広まっていったのかを説明する必要があります。

実は『アラビアンナイト』が世界的に有名な作品になるきっかけを作ったのは、アントワーヌ・ガランというフランス人東洋学者でした。

ガランは「太陽王」と呼ばれたフランス国王、ルイ一四世（在位一六四三〜一七一五）に仕えた人物です。彼は、アラビア語、ペルシア語、ギリシア語、ヘブライ語、オスマントルコ語など、複数の語学に精通していたため、外交使節として任地に赴く貴族の随員（ずいいん）として、度々東方世界に派遣されました。

十七世紀末に中東に派遣されていたとき、アラビア語で書かれた古写本を手に入れます。読んでみるととても面白いので、フランス語に訳して出版しようとしますが、その過程で、この写本は『アルフ・ライラ・ワ・ライラ』という長大な作品の一部であるという情報を得ます。

そこで、写本を探したガランは、一七〇一年についに十五世紀頃にシリアで写されたと思われるアラビア語の『アルフ・ライラ・ワ・ライラ』三巻を手に入れます。これは現在「ガラン写本」と呼ばれています。

ガランはこの写本をフランス語に翻訳し、先に見

ガラン写本（パリ国立図書館蔵）

つけていた古写本と合わせて、一七〇四年から三年間かけて『Les Mille et Une Nuit／千一夜』七巻を出版します。

しかし、ガランが手に入れた、『アルフ・ライラ・ワ・ライラ（千一夜）』三巻に載っていたお話は、全部で二八二夜分しかありませんでした。

写本は見つからず、さまざまな民間伝承を取り込んだ

「千一夜」という以上、もともとは千一夜分あったはずだと考えたガランは、翻訳本を出版する際、『千一夜』の一部だと信じていた先の古写本の物語を加えました。実は、この古写本に載っていた話というのが、『アラビアンナイト』の中でも最も有名なものの一つ「シンドバッドの冒険」だったのです。

その後もガランは、何とか千一夜分の話を集めようと、続きの写本を必死に探しましたが見つかりません。

その一方で、出版した『千一夜』は、大ヒットとなっていました。特に、イギリスでの人気は高く、フランス以上に版を重ねていました。ちなみに、現在最もよく知られている『アラビアンナイト』というタイトルは、イギリスでガランの『Les Mille et Une Nuit／千

一夜』が英語訳されたときに用いられた『The Arabian Nights Entertainments／アラビアンナイト　エンターテインメント』に由来したものです。

『アラビアンナイト』が人気を博したことで、続巻を望む声が高まっていきました。しかし、いくら探しても残りの写本は見つかりません。困ったガランは、アラビアンナイトのような話を民間伝承の中から聞き集め、それらをまとめて翻訳本『千一夜』の続巻として出版していったのです。

そして、このとき加えられていったのが、『アラビアンナイト』の中でも特に有名な「アラジンと魔法のランプ」や「アリババと四十人の盗賊」「空飛ぶ絨毯」といった話なのです。つまり、これらの話は、祖型の『千一夜』に入っていたのかどうかもわからないどころか、アラビア語の写本すら存在しない、口伝によるお話だったのです。

私たちがよく知る面白い話の多くに「原典」がないことに驚かれたかもしれませんが、世界中どこでも、民間説話や昔話は、老人が子供たちに夜話として話して聞かせたり、『イリアス』や『オデュッセイア』のように吟遊詩人たちが、祭りのときに語って聞かせるという類いのものでした。それらが、あるとき書き留められることで「原典」が誕生するのです。

そういう意味では、『アラビアンナイト』が、『イリアス』や『オデュッセイア』と異なっていた点は、その原典化の作業が、物語を伝承してきた人々ではなく、異文化圏の人間によってなされたということかもしれません。

　とにかく、ガランというフランス人によって発見された古写本『千一夜』は、他の写本や、口伝により伝わっていたさまざまな民間伝承を次々と取り込んでいくことで、『アラビアンナイト』として、十八世紀以後のヨーロッパから、世界中に広がっていくことになるのです。

『アラビアンナイト』には、魔法使いや魔神、怪物などさまざまな不思議がたくさん出てきます。登場人物も単なる悪人・善人だけではなく、ずる賢いヤツや誠実な人、ふしだらな女もいれば、貞淑で清楚な美女や賢い奴隷女も出てきます。そうした生き生きとしたキャラクターが、現実と不思議が渾然と混ざり合った世界で繰り広げる物語は、現代を生きる私たちが読んでも非常に面白いのですから、シャフリヤール王が、夜ごと話の続きを聞きたくなったというのもうなずけます。

『アラビアンナイト』は、古典文学として充分面白いのですが、世界史的視野をもって読むと、また別の楽しみ方ができるという奥深さもあります。

　枠物語の舞台はバグダッドなので、地理的には現在のイラクということになります。現在この一帯は、イスラム教圏で民族的にはアラビア人が居住しています。でも、枠物語の時代設定はササン朝となっていますから、イスラム帝国に支配される前の、ゾロアスター教を信奉したペルシア人が住んでいた時代ということになります。

ペルシア人であれば、本来はペルシア語であるはずですが、伝承に用いられているのは実際はアラビア語です。このことから、『アラビアンナイト』の物語は、単にイラク地方の伝承というより、もっと広域の、おそらくイスラム帝国の版図(はんと)に含まれる広大な領域から伝わったり、集められたりした民間説話の集大成だと考えられるのです。

事実、物語をよく読むと、さまざまな土地の影響を受けていることがわかります。

たとえば、「シンドバッドの冒険」は、船乗りシンドバッドが経験した「七つの航海」について語って聞かせる物語です。シンドバッドという名は、アラビア語で「インドの風」という意味なので、彼はインド航路の船乗りという設定になっているのですが、私が読むと、彼の冒険譚は、嵐に遭ってたどり着いた島で人食い巨人に遭遇したり、その巨人の目を潰して逃げたりと、『オデュッセイア』と非常に似ているように感じられて仕方ないのです。

他にも、「地下の姫、ヤリムカ女王の物語」のように、古代ギリシアの逸話を、イスラム的な価値観なり倫理観なりで処理したように感じられるものもあります。さらに詳しく調べていけば、『アラビアンナイト』の中から聖書やタルムード(ユダヤ人律法学者の口伝・解説を集めたもの）、古代エジプトの説話など、地中海の東部からオリエント一帯にかけての古い話の痕跡がいろいろと見つかるのではないかと思います。

アラジンは中国人、魔法使いはアフリカ生まれ

影響が見てとれるのは、西方の古代世界だけではありません。イスラム帝国の東の果ての中国やインド、地中海以南のアフリカの人々も『アラビアンナイト』には登場します。たとえば「アラジンと魔法のランプ」というお話があります。

この物語は、アラジンという怠け者の少年が、悪い魔法使いに騙されて、魔法のランプを地下の洞窟のようなところへ取りに行かされるシーンから始まります。

アラジンはその洞窟でランプを見つけますが、洞窟の中で見つけた宝石をたくさん持ち出そうとしたため、体が重くなってなかなか出口にたどり着けません。あまりにアラジンがぐずぐずしていたので、しびれを切らした魔法使いは、その洞窟の入り口を閉じてしまい、アラジンは魔法のランプとともに洞窟に閉じ込められてしまいます。出られなくなったアラジンは、神に救いを求めて手を合わせます。洞窟に入るときに魔法使いがお守りだと言って指にはめてくれた指輪をそのとき偶然こすりました。すると、指輪の魔神が現

れ、アラジンは無事、家に戻ることができたのです。

その後、魔法のランプをこすると、指輪の魔神よりもっと強力な魔神が現れることをアラジンは知ります。そして、このランプさえあれば、何でも望みが叶うことを知ったアラジンは、美しいお姫様に恋をし、さまざまな試練をランプの魔神の力を使って見事に切り抜け、最後は姫と結ばれたのでした。

『アラビアンナイト』には、いろいろな編者、翻訳者のものがあり、それぞれに話が少しずつ違う特徴を持っています。ちなみに私が読んだ本は、ストーリーは面白いのですが、「好色にして残虐」なところがかなり強調されていて、子供向けとはいえませんでした。

いろいろなバージョンがある『アラビアンナイト』ですが、「アラジンと魔法のランプ」の舞台は「シナ」であるということは一致しています。

「シナ」は「チャイナ」つまり「中国」です。

日本人である私たちからすれば、中国人らしからぬ「アラジン」という名前と、絵本に描かれていた絵の印象から、アラビアのお話だと思っている人がほとんどだと思いますが、実はこの物語の舞台は中国で、アラジンは中国人の少年だったのです。そして、付け加えると、中国人のアラジンを騙した悪い魔法使いは、「アフリカ〈マグリブ〈北アフリカ、モロッコあたり〉〉生まれ」と明記されているのです。

ヨーロッパのイスラム世界に対するイメージが投影されている

大人向けの『アラビアンナイト』に見られる「好色にして残虐」という特徴は、もともとの『千一夜』が持っていたものでもあるのですが、十八世紀にフランス語訳や英語訳が広く普及するなかで、より強調されていった部分でもあります。

では、なぜ「好色にして残虐」という部分が強調されたのでしょう。

その答えは、パレスチナ出身のアメリカの批評家エドワード・W・サイードの著書『オリエンタリズム』の中に見ることができます。

（略）オリエンタリズムとは、オリエントを支配し再構成し威圧するための西洋の様式（スタイル）なのである。

（エドワード・W・サイード『オリエンタリズム』上／今沢紀子 訳／平凡社ライブラリー）

ガランが出版した『千一夜』が、ヨーロッパで、特にイギリスで大ヒットしたのは、この「オリエンタリズム」の高まりが深く関係しています。

西欧列強の植民地支配が広がっていく状況で、西洋の人々には「相手を支配することを正当化する理由」が必要でした。そうしたなかで、西洋人の目に特徴的に映る東洋の「好色にして残虐」な部分が強調されることになったのだと思います。

キリスト教世界では決して許されない一夫多妻を、イスラム教は認めています。この事実は、西洋の男性たちの目には、うらやましくも好色に見えたことでしょう。また、『史記』や『三国志』でも少し触れましたが、西洋の目には、東洋の歴史における人命は軽く、残虐に映ります。

つまり、こうして西洋が東洋に抱いたイメージが、『アラビアンナイト』には反映されていったのです。

そういう意味では、『アラビアンナイト』は、イスラム世界の説話集であると同時に、西洋人が作り上げたイスラム世界の物語でもあるのです。

最後になりますが、ガランが発見した『アラビアンナイト』の祖型『アルフ・ライラ・ワ・ライラ』には、枠物語の結末、つまりシャフリヤール王に夜ごと命がけで「面白い話」を語ったシェヘラザードがどうなったのかは書かれていません。

でも、『アラビアンナイト』には、バージョンごとにさまざまな結末が書き足されています。シェヘラザードの運命が気になった方は、ぜひいろいろなバージョンを手に取って、異なるエンディングも楽しんでみてください。

09/20

ハムレット

シェイクスピア

William Shakespeare（1564～1616）イギリスの詩人、劇作家。『ハムレット』のほか、『ロミオとジュリエット』『ヴェニスの商人』など、数多くの作品は、今なお、世界中で上演される。8歳上の妻アン・ハサウェイとの間に3人の子供を残した。

セクスピアも

千古万古セクスピアではつまらない。

偶には股倉(またぐら)から『ハムレット』を見て、

君こりゃ駄目だよ位に云う者がないと、

文界も進歩しないだろう。

夏目漱石(1867〜1916)

『吾輩は猫である』より

『ハムレット』は、シェイクスピアの数多くの作品の中でも晩年にあたる一六〇〇年頃の作品である。『ハムレット』以降、立て続けに『オセロ』『リア王』『マクベス』という三本の悲劇を書き、これらはシェイクスピアの「四大悲劇」と呼ばれ高い評価を受けた。「話し言葉」から「書き言葉」への転換期にあったこの作品をはじめ、彼が生み出した名言の数々は今なお人々を魅了し続けている。

『ハムレット』はデンマークの伝説をもとにした作品

シェイクスピアの作品は小説ではなく戯曲です。戯曲というのは、ごく簡単にいえば、演劇の台本です。そのため「ト書き」程度の説明書きはあっても、細かな情景描写や登場人物の心情を解説する地の文章はありません。物語は、登場人物の台詞のやりとりだけで完結しています。こうしたことから、戯曲は演劇として上演されることで完成する文学作品だといえます。

そして、『ハムレット』は、シェイクスピアの作品の中でも最も数多く上演されてきた作品です。台詞だけで構成される戯曲は、もともと小説よりも鑑賞者の解釈の幅が広くなるものではありますが、『ハムレット』は特に、どのようにも受け取れる曖昧な台詞が多いのが特徴です。

　その結果、演出家など、さまざまな作り手によって、さまざまな解釈がなされ、さまざまなハムレット像が生み出されてきました。

　そのため演劇を観た者に、戯曲を読んだ者に、新たな問いを残すのが、『ハムレット』の魅力だといえるでしょう。

「文学の『モナ・リザ』」とも称される『ハムレット』とは、どのようなお話なのでしょうか。まずはそのあらすじをご紹介しましょう。

『ハムレット』の舞台は、シェイクスピアの母国イギリスではなくデンマークです。

『ハムレット』の原題は『The Tragicall Historie of Hamlet, Prince of Denmarke』、直訳すると「デンマークの王子ハムレットの悲劇的生涯」となります。

なぜデンマークなのかというと、デンマークにこの作品の原話となった伝説が存在しているからです。それは、十二世紀末に編纂された『デンマーク人の事績』（サクソ・グラマティクス著）に収められているもので、「アムレート（Amleth）という王子が、王を殺し母と結婚し王位に就いた叔父に復讐するという話です。

　この伝説は、シェイクスピアが『ハムレット』を書く以前から劇として上演されていたらしく、おそらくシェイクスピアはこの伝説をベースに『ハムレット』を書き上げたのだろうと考えられています。

悲劇的な結末を迎える復讐の物語

『ハムレット』は戯曲なので、小説のような章立てではなく、舞台構成に合わせて、全五幕二〇場によって構成されています。

第一幕第一場は、デンマーク、エルシノア城の見張り台から始まります。ちなみに、このエルシノア城とは、デンマークのシェラン島北東部ヘルシンゲル(英名エルシノア)にある古城で、現在はユネスコの世界文化遺産に登録されている「クロンボー城」に比定されています。

最初に登場するのは歩哨(ほしょう)を務める衛兵たちです。彼らは、最近夜ごと出没する亡霊の噂話をしていました。すると、噂をすれば影とばかりに、くだんの亡霊が姿を現します。見ると、驚いたことにその亡霊の姿は先日亡くなった王そのものでした。

その頃、父王を亡くした王子ハムレットは悶々(もんもん)とした日々を過ごしていました。

なぜなら、次の王位に就いた叔父のクローディアスが、ハムレットの母である王妃ガー

『ハムレット』主な登場人物

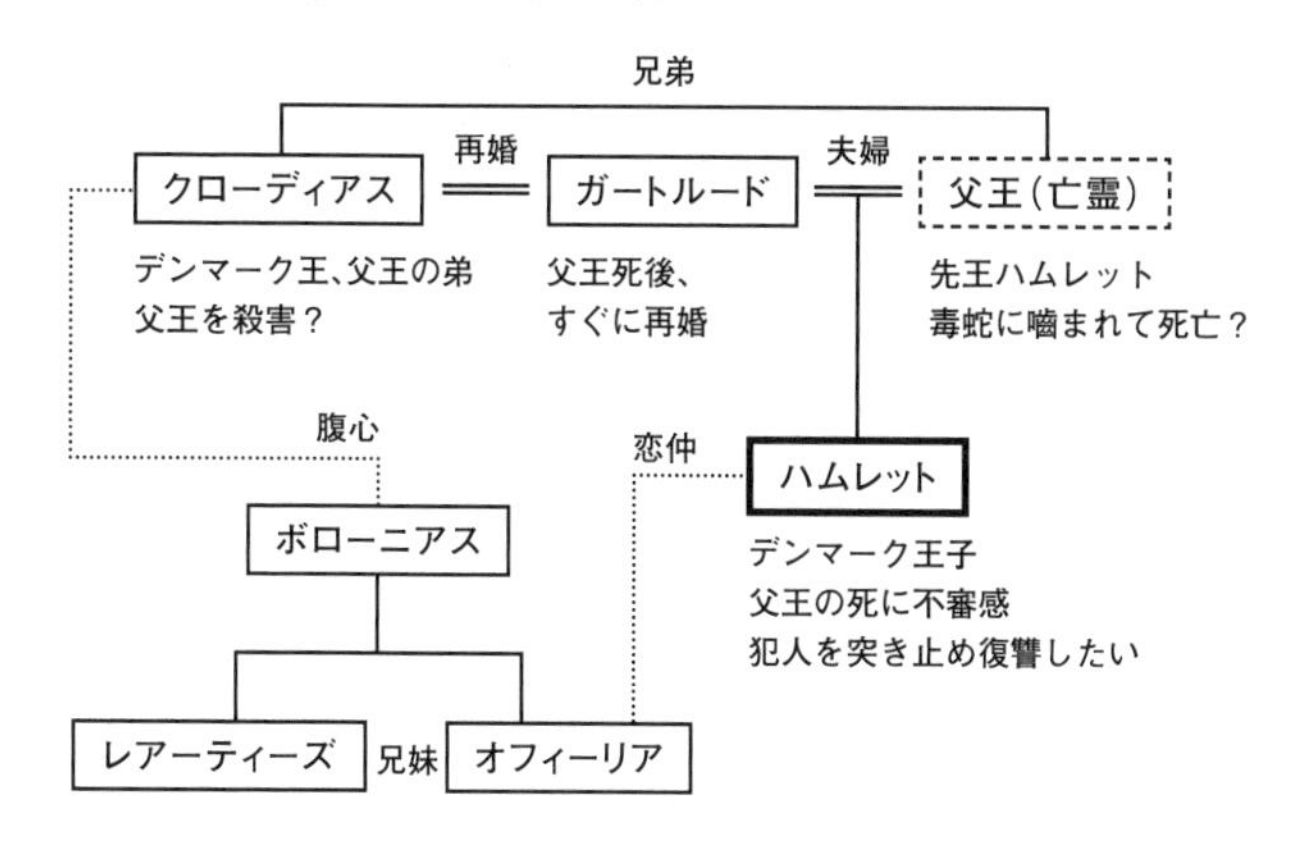

トルードと結婚してしまったからです。夫の死から一カ月も経たないうちに、母が父の弟に嫁いだことを受け入れられず、ハムレットはその苦しい胸の内を誰にも言えず、「Frailty, thy name is woman.／脆き者よ、汝の名は女」と嘆きます。

この母に対する不信と嘆きは、大きな主題として物語を牽引していくことになります。

誰にも告白できない悩みを抱えたハムレットは、亡き父に似た亡霊が現れたという報を受け、自ら夜の見張り台に赴きます。

父王は毒蛇に噛まれて亡くなったとされていましたが、ハムレットはずっと、その死を不審に感じていました。果たして亡き父王の姿をした亡霊が現れると、「自分はクローディアスによって、寝ていたところを耳に毒を入れられ殺された」と言い、ハムレットに「敵を討て」と命じたのでした。

ハムレットは復讐を誓い、相手を油断させるために狂気を装います。

ハムレットの突然の変貌を訝しんだクローディアスは、腹心のボローニアスに狂気の原因を探らせます。

しかし、以前からハムレットが、娘のオフィーリアに好意を寄せていたことを知っていたボローニアスは、娘にハムレットの様子を聞き質し、これは娘への恋煩いが原因だと早合点しました。

復讐を誓ったものの、ハムレットはなかなか行動に踏み出せませんでした。クローディアスが本当に父王を殺害したのか、それとも自分が亡霊の姿をした悪魔に騙されているのか、確信を持てなかったからです。

そこでハムレットは、真実を確かめるべく一つの手を打ちます。亡霊から聞いた父王殺害の様子を芝居の中で再現し、それを見たクローディアスがどのような態度をとるか確かめることにしたのです。

ちなみになぜ真実を確かめる方法が「演劇」なのかというと、シェイクスピアが生きたエリザベス一世（在位一五五八～一六〇三）時代のイギリスの人々にとって、演劇は「真実を映し出す鏡」だと考えられていたからです。事実、ハムレットは次のように語っています。

（略）芝居の狙いは昔も今も変りなく、いわば自然に向って鏡をかかげ、善には善の、悪には悪の、それ本来の姿形を、時代の現実にはその真相をくっきりと映し出して見せるところにある……（略）

（『ハムレット』第三幕第二場／野島秀勝 訳／岩波文庫）

しかし、もしこれでクローディアスが犯人だということが明らかになったら、復讐を実行しなければなりません。そう考えたとき、ハムレットは自らの魂にふさわしい生き方を自問自答します。

To be, or not to be. That is the question.

「生きるべきか、死ぬべきか。それが問題だ」と訳されることが多い『ハムレット』の中でも最も有名な台詞です。短く、難しい単語も使われていませんが、さまざまなニュアンスで読み取れる難解な台詞で、日本でもさまざまな訳され方をしています。

苦悩するハムレットの姿を見たガートルードは、ボローニアスの「あれは恋煩いだ」という言葉を信じ、息子を慰めるためにオフィーリアを向かわせます。

しかし、ハムレットは狂気とも正気ともつかない様子で、オフィーリアをなじり、「Get thee to a nunnery!／尼寺に行け」と何度も繰り返すのでした。

そんな二人の姿を覗き見ていたクローディアスは、ハムレットが恋煩いで気が触れたのではなく、何か別の思いを胸に秘めていることに気づきます。

その夜、問題の芝居が上演されると、果たして、クローディアスは取り乱し、芝居の途中で退席してしまいました。

叔父の有罪を確信したハムレットは、退席したクローディアスの後をつけます。

すると、罪の意識に駆られたのか、祭壇の前に跪くクローディアスを見つけます。

今なら背後から近づき討つことができる。

そう考えたハムレットでしたが、祈りの最中に殺したのでは、クローディアスの魂は天国に昇ってしまうのではないか、と考え剣を収めます。

剣を収めたものの、ハムレットの怒りは収まりません。

叔父が父を殺したのであれば、父の死後一カ月も経たないうちに再婚した母は共犯だったのかもしれない。母の無実を信じ切れないハムレットは、ガートルードのもとに向かい

『オフィーリア』ジョン・エヴァレット・ミレイ作（テート・ブリテン美術館蔵）

ます。

腕をつかみ「あなたは王妃で、夫の弟の妻、そして残念ながら、この僕の母」となじるハムレットに恐怖を感じたガートルードは、思わず「助けて」と声を上げます。

このとき、壁に掛けられた幕の陰で、二人の様子を隠れ見ていたボローニアスも慌てて声を出します。そして、この声の主をクローディアスだと思ったハムレットは、その人物が誰か確かめもせず剣を突き立ててしまうのでした。

愛する恋人に父を殺された哀れなオフィーリアは正気を失い、花飾りを木の枝にかけようとして川に落ちて亡くなります。

一方、ボローニアスの死でハムレットの復讐心を確信したクローディアスは、ハムレットをイギリスに送り、かの地で密かに殺す計画を立てます。しかし、イギリスに向かう途中、海賊に襲われたのを機にデンマークに戻ることになります。そんなハムレットを待ち受けていたのは、父と妹の仇を討とうと誓ったオフィーリアの兄、レアーティーズでした。

クローディアスはこのレアーティーズの復讐心を利用し、剣の練習試合に乗じてハムレットを葬ろうと画策します。それは、レアーティーズの剣に毒を塗り、それでもハムレットが勝った場合に備えて毒杯を用意するという周到なものでした。

しかし、毒杯は誤って王妃ガートルードが飲んでしまいます。ハムレットもレアーティーズも、毒の剣で傷つき死が目前に迫るなか、レアーティーズはハムレットに、これらの毒がクローディアス王によって仕組まれたものであることを告白します。

ハムレットは最後の力を振り絞り、毒の剣をクローディアスに突き刺し、さらにガートルードが飲み残した毒杯を王の口に押しつけ、その命を絶ったのでした。

最後にレアーティーズとハムレットが互いの罪を許し合うものの、物語は関係者がほぼ全員死んでしまうという悲しい結末を迎えます。

酷評の一因にもなった、謎の多いガートルードの最期

二十世紀初期、イギリスの詩人にして文芸評論家でもあるT・S・エリオット（一八八八～一九六五）は、「ハムレットとその問題」という評論の中で『ハムレット』は「間違いなく芸術的な失敗である」と酷評しています。

彼が酷評した理由は、ハムレットの感情を観客が自分のものにできなかったことだと主張していますが、私は、そうなった理由の一つに、母親であるガートルードの罪の曖昧さがあるのではないかと考えています。

ガートルードはクローディアスと結託していたのか、いなかったのか。

クローディアスが夫を殺したことを知っていたのか、いなかったのか。

なぜ夫の死後、わずか一カ月足らずで夫の弟に嫁いだのか。

そして、最期は毒杯と知っていて飲んだのか、知らずに飲んだのか。

彼女に関しては、すべてが曖昧なのです。

とはいえ、潔白だとも思えません。なぜなら、前王の亡霊がハムレットに復讐を命じたとき、ガートルードの罪をほのめかしながらも、彼女の罪を追及しないよう言っているからです。

母に背くようなことは一切、企んではならぬ。
母のことは天に、あれの胸に宿る棘の呵責に委ねるがいい。
(『ハムレット』第一幕/野島秀勝 訳/岩波文庫)

先に、『ハムレット』のベースにデンマークの伝説があったことをご紹介しましたが、実は古代ギリシアにもこれと似た伝説が存在しています。

それは、『イリアス』にも登場したミケナイ王国の国王アガメムノンの最期にまつわる話です。

アガメムノンにはクリュタイムネストラという妻がいました。

彼女は、夫アガメムノンがトロイア戦争に出かけている間に情夫を作り、戦争が終わって夫が帰ってきたときに、情夫と結託してアガメムノンを殺してしまうのです。

この話は『イリアス』には書かれていませんが、『オデュッセイア』には、人々の噂話というかたちで登場します。

この話を素材にしたアイスキュロス(前五二五~前四五六)によるギリシア悲劇『アガメムノン』(『オレステイア』三部作の第一部)もあります。

こちらの結末は、アガメムノンの息子オレステウスが、自分の母とその情夫を殺し復讐を遂げ王位に就く、というものです。

アガメムノンの場合は、母親と情夫が結託していることが明らかだったので、オレステウスは母親も情夫とともに殺しています。しかしハムレットの場合は、ガートルードの罪は最期まで曖昧なまま謎として残ります。

シェイクスピアは、なぜこのような曖昧な書き方をしたのでしょう。

モヤモヤした思いが残ることは事実ですが、答えのない謎ほど人を惹きつけるのもまた事実です。

話し言葉から書き言葉への転換期ならではの工夫

『ハムレット』には他にもさまざまな謎があるのですが、ことわざや引用、常套句といったものが台詞に必要以上に多用されているのもその一つです。

あまりにもことわざや引用が多いので、芝居を観たおばあさんが、「シェイクスピアは手を抜いたんじゃないか」と言ったという笑い話が残っているほどです。

この謎については、シェイクスピアが生きた時代について知る必要があります。シェイクスピアが活動したのは、エリザベス一世後期のイギリスです。

エリザベス一世の父ヘンリー八世（在位一五〇九〜一五四七）は、自分が妻と離婚し再婚したいがために、いわゆるアングリカン・チャーチ（イギリス国教会）を作りカトリックから改宗するという、強引な宗教改革をやったことで有名です。

しかし、そのツケは後を継いだエドワード六世（在位一五四七〜一五五三）、続くメアリー一世（在位一五五三〜一五五八）の時代に回ってきます。メアリー一世が敬虔なカトリック教徒だったため、イギリス国教会とそれに連なるプロテスタントに対し過激な迫害を加えたからです。

しかし、そうした宗派争いもエリザベス一世がイギリス国教会を中心に据え、カトリックへの迫害を禁じたことで、治世後期には収まります。もちろん、カトリックとイギリス国教会の対立がまったくなかったわけではありませんが、大陸で繰り広げられた対立と比べれば、それほどひどいものではありませんでした。

そうした安定のおかげで、エリザベス一世後期は、「イギリスのルネサンス」といわれるほど芸術や文芸が非常に盛んになったのです。

この時代の大きな変化の一つが、人々が「書き言葉」で情報を得るようになったことです。

意外に思われるかもしれませんが、この時代は、十五世紀半ばドイツのグーテンベルクが印刷術を開発してから約百年が経ち、ようやくヨーロッパに広く印刷技術が普及した時代なのです。

中世ヨーロッパでは、読み書きができるのは、修道僧など、本当にごく一部の人々に限られていました。事実、中世では、王様であってもほとんど読み書きができなかったといわれているのです。

もちろん当時も手紙のやりとりは行われていましたが、自分で書くというより、書記や右筆(ゆうひつ)に話したことを書かせて、受け取ったほうも、文字のわかる者に読ませてそれを聞くというかたちで、書簡のやりとりがなされていたのです。

古代ローマ時代の貴族たちは非常に教養が高く、ラテン語だけでなくギリシア語の読み書きまでできたといわれていますが、実は識字率というのは、古代から右肩上がりに伸びてきたわけではなく、逆に中世にグッと落ち込んでいるのです。

そういう意味では、十六世紀の後半から十七世紀の初め、つまりセルバンテスやシェイクスピアの時代は、話し言葉から書き言葉への転換期にあたるのです。

方言をイメージするとわかりやすいと思いますが、話し言葉にはどうしても地域性が強く表れます。また、当時は身分によっても使う言葉が違っていました。しかし、書籍や演劇ではそうした異なる話し言葉を使っている人々に、同じ書き言葉で著者の思いを伝えなければなりません。

シェイクスピアとほぼ同時代の作家セルバンテスも、『ドン・キホーテ』の中で、従者のサンチョ・パンサの台詞にことわざを多用しています。同時代の二人が似たようなことをしているというのは、おそらく、話し言葉から書き言葉への転換期において、人々が耳で聞き覚えていたことわざや説話の決め台詞を盛り込むことが、不特定多数の読者や観客と作者を結ぶ、ある種の「共通言語」になっていたからなのではないでしょうか。

もしそうなら、ことわざや引用の多用は、手抜きどころか、作者の涙ぐましい工夫ということになります。

工夫といえば、以前何かの番組でタレントのタモリさんがある仮説を語っていたのですが、歴史的に見ても充分ありうると感心させられましたのでご紹介しましょう。

それは「シェイクスピアの台詞の表現力が豊かなのは、台詞を聞いた観客を、そのボキャブラリーの豊かさで『はっ』とさせるためなのではないか。なぜなら、あの時代の観客がおとなしく聞いていたはずがないからだ」というものでした。

あの時代の観客たちは、みんないろいろなことをしゃべりながら芝居を観ていたはずだというのですが、タモリさんがそう思ったのは、昔、自分が子供の頃に行った映画館がそうだったからだそうです。

なかなか面白い仮説ですが、当時の劇場の様子を考えると、これは充分にありえるのです。

今の劇場は、客席は暗く舞台だけがライトで明るく照らされていますが、エリザベス一世後期の劇場は、太陽光のもと、客席も舞台も同じ明るさでした。

当時、ロンドンを代表する劇場だった「グローブ座」は、客席こそ屋根のある三階建ての建物でしたが、舞台の前に設けられた立ち見スペースは青天井の土間でした。

料金は立ち見の土間が最も安く、屋根のある回廊席がその上、さらにお金を払うと二階席に座れ、最上階は貴族でなければ払えないほど高額でした。このように観る場所は大きく違いますが、土間の貧しい民衆から、最上階の貴族まで、同時に同じ芝居を観ることができたのです。

そうした環境に、秩序だった静寂が存在したはずがありません。人々はみんな好き勝手におしゃべりをし、劇場内に入り込んだ物売りは観客相手に商売するという、街の中とたいして変わらない無秩序な喧噪につつまれていたことでしょう。

そうしたなかで観客の注意を集めるには、タモリさんが言うように、観客が思わず「はっ」とするような豊かな表現力が必要だったはずです。

そう考えると、シェイクスピアの戯曲に、「ダジャレ」のような言葉遊びが数多く見られるのも、観客の意識を向けさせる工夫の一つだったのかもしれないと思えてきます。

日本では、ダジャレはおじさん言葉だといわれてしまいますが、英語でもダジャレのような表現方法があり、この時代にはそれがかなり使われていました。

ダジャレというのは「音」を基本とした言葉遊びです。文字で読めば意味が違うことはすぐにわかるような言葉でも、音として聞いたときには両方の意味にとれる、そうした言葉の音の類似を利用した語呂合わせです。

たとえば、英語では「lie」という言葉が典型的なのですが、「lie」には「横たわる」と「嘘をつく」、二つの意味があります。もちろん意味の違いは、文脈で判断できますが、そうしたものを意図的に使うことで、両方の意味が読み取れるようにすることができます。

他にも、海の「sea／シー」と、見るの「see／シー」は、綴りは違いますが、音としてはほとんど同じです。また、日本人はよくRとLの聞き分けができないといいますが、英語を話す人たちは、もちろん聞き分けられるのですが、あえてダジャレに用いることもあります。

シェイクスピアの独特な台詞回しや表現方法は、もしかしたら、当時の社会背景ならではの工夫を凝らした結果なのかもしれません。

10／20

ロビンソン・クルーソー

デフォー

Daniel Defoe（1660～1731）。イギリスの小説家・ジャーナリスト。名誉革命のあとジャーナリズムの世界で活躍を始め、投獄の末、晒し台の刑に処せられる経験も。生涯を通じてなんらかの企業活動を続ける商人でもあった。

経濟學はロビンソン物語を好むから、

まずロビンソンの島の生活を見よう。

カール・マルクス（1818〜1883）

『資本論』より

『ロビンソン・クルーソー』は、当然ながらフィクションであるが、発刊当時にはロビンソン・クルーソー本人による自叙伝という体裁で出版された。二度の破産や投獄など、作中のロビンソンと同様に波乱に満ちた人生を歩んだ野心家のデフォーが描いた人物は、「勤勉な労働」と「神への感謝」をもって、苦難に立ち向かった。もはや子供向けの単なる冒険物語として読める時代は、過去のものとなるのかもしれない。

浮き沈みの激しい人生を送った作者デフォー

ダニエル・デフォー（一六六〇〜一七三一）の『ロビンソン・クルーソー』は、無人島に漂着したイギリス人男性ロビンソン・クルーソーのサバイバル冒険譚として有名ですが、無人島を脱出し、イギリスに帰国した後の物語の存在を知っている人はあまり多くないようです。

現在、岩波書店から刊行されている文庫版『ロビンソン・クルーソー』は、上下巻からなり、上巻はよく知られている無人島の話、下巻は帰国後に新たに向かう冒険の話となっています。

とはいえ、これも『ドン・キホーテ』同様、当初出版された無人島の話がとても好評だったので、後から新たな冒険譚が続編として書かれたものです。

最初の無人島の話が出版されたのは一七一九年、原題は『The Life and Strange Surprising Adventures of Robinson Crusoe／ロビンソン・クルーソーの生涯と奇しくも驚くべき冒険』。続編が出版された時期は早く、同じ年に『The Farther Adventures of Robinson Crusoe／ロビンソン・クルーソーのさらなる冒険』というタイトルで出版されています。

また、岩波文庫版『ロビンソン・クルーソー』には収録されていませんが、デフォーは翌年の一七二〇年に、シリーズの第三部ともいうべき『Serious Reflections During the Life & Surprising Adventures of Robinson Crusoe, With His Vision of the Angelic World／ロビンソン・クルーソーの生涯と驚くべき冒険を通して行った真面目な省察、天使の世界についての彼のビジョン』も出版しています。

作家として知られるデフォーですが、『ロビンソン・クルーソー』を出版したのは人生の後期といっていい五十九歳のときです。では、それ以前の彼は何をしていたのでしょう。

デフォーがイギリスのロンドンで生まれたのは、ピューリタン革命が挫折しイギリスが王政復古を果たした一六六〇年。父親のジェームズ・フォーがピューリタン（イギリス国教会の改革を唱えたプロテスタント。清教徒）だったため、デフォーは非国教徒学院で教育を受けています。

幼いときに、ロンドンの人口の二割が亡くなったといわれるペストの大流行（一六六五年）と、街の半分を焼き尽くしたロンドン大火（一六六六年）を経験し、成長してからは商人になりますが、時には巨富を得、時には破産するという浮き沈みの激しいものだったようです。

その後、ジャーナリストとしても活動するようになり、何度かペンネームを変えながら、最終的に「ダニエル・デフォー」と称するようになります。

また、その頃から政治にも熱心に関わるようになり、名誉革命（一六八八～一六八九年）の以後は、プロテスタントであるウィリアム三世支持を明確にした冊子や新聞記事、評論などを数多く著しています。

しかし、こうした政治的な活動が禍（わざわい）し、デフォーは捕らえられ、庶民の前で晒し台の刑を受けます。しかしこれが逆に民衆の支持に繋がり、釈放され、最終的には大ブリテン王国の成立（一七〇七年）を推進する論客として活躍することになるのでした。

このように『ロビンソン・クルーソー』の生みの親ダニエル・デフォーは、彼自身が、商人としてもジャーナリストとしても、浮き沈みの激しい刺激に満ちた人生を送っていたのです。そんな彼が、自分の人生の後期に、心血を注いで書き上げた『ロビンソン・クルーソー』とは、どのような物語なのでしょう。

家出から無人島に漂着するまでの八年間

物語は、主人公ロビンソン・クルーソーの独白から始まります。

ロビンソン・クルーソーが生まれたのは一六三二年、イングランドの北方にあるヨークという町でした。父親はドイツ人、母親はイングランド人、家は中産階級で、贅沢はできなくても生きていくのに苦労しなくてすむ程度の生活です。

ロビンソンは三男坊でしたが、長男は陸軍に入り戦死、次男は行方不明だったため、両親の期待は一身に彼に注がれていました。父親はロビンソンに法律家になることを勧め、その理由として中流の生活こそが、最も幸せな生き方だからだと力説します。

（略）人生の不幸をしょっているのは社会の上層と下層の者にかぎられている。中くらいの者はほとんど災難らしい災難はうけることはないし、上下の者たちのように、人生の浮沈にそうめったに苦しめられることもないのだ。いや、心身の不安や苦しみにさらされることもない。ところが、あの連中ときたらどうだ。一方では、淫(みだ)らで、贅沢で、無軌道な生活がたたり、かと思うともういっぽうではげしい労働や貧乏な生活、ほとんど喰うや喰わずの生活がたたる（略）

（『ロビンソン・クルーソー』上／平井正穂 訳／岩波文庫）

いつの時代も若者というのは、自分の知らない世界を見てみたいという欲求に駆られるものですが、ロビンソンも、父の忠告が身に染みたものの、やはり人並みの生活に魅力が感じられず、船乗りになりたいという夢がどうしても捨てきれません。

そんな思いを抱え悶々と過ごしていたある日、友人に「父の船でロンドンへ行くんだが、一緒に行かないか」と誘われ、両親の許しも得ずにその船に乗り込みます。

一六五一年九月一日、ロビンソン十八歳のときのことです。

ところが、この船は出航して間もなく嵐に遭ってしまいます。

いよいよ無人島か、と思われた方には残念ですが、彼が無人島でサバイバルをすることになるのは、実はもう少し先です。

このときの嵐では、乗組員全員がかろうじて無事に上陸を果たし、ロビンソンは陸路ロンドンへ出ます。そしてロンドンからアフリカ行きの船に乗るのですが、今度はサリー（モロッコ西海岸の港町）を根拠地とする海賊に襲われ、ロビンソンは海賊の奴隷にさせられてしまいます。

サリーでの奴隷生活が二年ほど続いたある日、ついにロビンソンはチャンスをつかみ、小さなボートによる脱出に成功します。しかし、ボートでの外海航海は過酷です。そんな困った状態のところを、ブラジル行きの船に助けられます。この船の船長は、とても親切なポルトガル人で、頼る者のいないロビンソンに、土地の農園主を紹介してくれました。この人物からさまざまな教えを得て、農地を手に入れ、三年かけてどうにか農園主としての生活を安定させます。

農園の経営に成功し、このままいけば裕福な生活を送れるだろうというとき、同じ農園経営者たちからある計画が持ちかけられます。

当時農園はどこも人手不足でした。労働力として黒人奴隷を手に入れたくても、当時、黒人の売買はスペインやポルトガルの国王からの特別の許可のもと、国家の独占事業として行われていたため、正規のルートで手に入れようとすると、とても高価でした。

そこで、誰かが秘密裏にギニアへ渡り、こっそり黒人を運び込み、仲間内だけでその黒人たちを分配しよう、というのです。

ここでロビンソンは、「私は自分自身を破滅に陥れるために生まれてきたような人間であった」と前置きしてから、「私は喜んでこの航海にでかけるむねを答えた」と述べています。

一六五九年九月一日、家出したときから八年の歳月が過ぎ、ロビンソンは二十六歳になっていました。そしてこの航海の途中、ロビンソンの乗った船は「運命」の嵐に遭遇するのでした。

嵐は激しく、船が粉砕されてしまうと思った彼は、他の乗組員とともに救命ボートに移りますが、そのボートも転覆、やっとのことで彼一人だけが無人島にたどり着き九死に一生を得たのです。

『ロビンソン・クルーソー』や『ガリバー旅行記』のヒットの背景にあるもの

ここから彼の、無人島でたった一人きりの二十八年間という長きにわたる壮絶なサバイバル生活が始まります。昨日まで近代的な生活を送っていた人間が、たった一人で文明のない無人島に放り出されたとき、どのようにして精神を保ち、どのようにして生活を整えていくのか。その様子こそ、この物語最大の魅力であることは間違いありません。

ここでその詳細に触れることは、読書の楽しみを削ぐことになるので控えますが、実際に無人島生活をしたことのないデフォーが、これほど詳細でリアルな物語を書くことができたのはなぜなのでしょう。

実はこれには、デフォーが『ロビンソン・クルーソー』を書く前に熱心に読んだある書物が関係しているといわれています。

それは、ウッズ・ロジャーズという船長が一七一二年に出した『A Cruising Voyage Round the World／世界周航紀』という本です。この中で語られていたのが、スコットランド出身のアレキサンダー・セルカークという水夫が経験した、四年間に及ぶ無人島での生活の記録でした。ロジャーズ船長は、無人島にいたセルカークを救助した船の船長だったのです。

セルカーク像（スコットランド）

デフォーは、一七一八年に出た『世界周航紀』の第二版を熱心に読み、その翌年の一七一九年に『ロビンソン・クルーソー』を出版したと考えられています。

今は青少年が読む冒険物語というイメ

ージが強い『ロビンソン・クルーソー』ですが、オンタイムで読んでいたのは、デフォーと同じ中産階級の大人たちでした。

他にも、『ロビンソン・クルーソー』ほどリアリティを持った作品ではありませんが、やはり今では子供向けの物語とされているジョナサン・スウィフトの『ガリバー旅行記』（初版、一七二六年）も、同時期に生まれ同じ読者層に支持された作品なのです。

彼ら中産階級の人々は『ロビンソン・クルーソー』や『ガリバー旅行記』の何に惹かれたのでしょう。これらの作品に共通しているのは、突然自分の社会常識が通用しない異世界に放り込まれた人間の生きざまです。

彼らは、十八世紀初頭の社会構造が複雑化するイギリス社会の中で、新たな勢力を形作りつつある人々でもありました。

おそらく、彼らが『ロビンソン・クルーソー』に惹かれたのは、作中に描かれた「人間としてのあり方」なのではないでしょうか。

そして、『ロビンソン・クルーソー』の場合、そこには二つの「人間としてのあり方」がはっきりと描き出されています。

一つは、「経済人としてのロビンソン・クルーソー」。そしてもう一つは「宗教人としてのロビンソン・クルーソー」です。そして、これから解説しますが、この二つは分かちがたいものとして一人の人間の中に存在しているのです。

当時の人々は、自分たちの心の中にあった、「人間本来のあり方とは、どのようなものであるべきなのか」という問いの答えを、無人島におけるロビンソン・クルーソーの生活に見出したのかもしれません。

経済人としてのロビンソン・クルーソー

デフォーが生きた時代のイギリスは、農業革命による人口の増加と、対外貿易によって生み出された資本の蓄積、さまざまな分野での技術力の向上など、産業革命の萌芽を促す条件が揃い始めていた時期でした。

人口増加や対外貿易による需要の拡大は、生産性の向上を求め、その結果、社会の分業化が進み、社会構造はどんどん複雑化していきました。

以前、経済学者の宇野弘蔵(こうぞう)先生が、東北大学在職中の若いときの話として、ドイツの哲学者カール・レーヴィットから「要するに経済学というのは、最小限の努力で最大限の効果をあげようとする学問だろう」と言われたという話を面白おかしく話しておられましたが、資本主義社会における合理性とは、まさにそういうことです。

いかに安く多くのものを手に入れるか、いかに少ない労力で最大の結果を出すか。それを追求することが、資本主義社会における経済人のあり方なのです。

そういう意味では、経済人としてのロビンソン・クルーソーは、一個の空間の中で、他からの援助に頼らず自力でどれだけのことができるかを体現しているといえます。

そのためこの本は、歴史家、特に経済史に携わっている人たちにとって、当時の経済人のあり方を典型的に示した書として注目されてきました。

事実、ドイツの社会学者マックス・ヴェーバーは、『プロテスタンティズムの倫理と資本主義の精神』（一九〇五年）の中で、『ロビンソン・クルーソー』を、この時代の経済人、つまり中産階級として新たな社会層を構築した人々のあり方（人間類型）の典型例として取り上げています。

ロビンソンの無人島での生活は、驚くほど勤勉です。

無人島でも日付がわからなくならないように「暦」をきちんとつけ、物事を判断するときには「損得勘定」を基本とした合理的な判断を自らに求めます。

たとえば、彼は自分が無人島に流されたという事実を受け入れ生きていくにあたり、このことが自分にとってどんなメリットがあり、どんなデメリットがあるのかということを、まるで資産と負債の状況を知るための、財務諸表の貸借対照表のようなものを作り、

ロビンソンの対照表

悪い点	善い点
私はおそろしい孤島に漂着し、救われる望みはまったくない。	しかし、他の乗組員全員が溺(おぼ)れたのに、私はそれを免れてげんにこうやって生きている。
私は全世界からただ一人除け者にされ、いわば隔離されて悲惨な生活をおくっている。	だが自分一人が乗組員全員から除外されたからこそ死を免れたのだ。奇蹟的に私を死からすくってくれた神は、この境遇からもすくいだすことができるはずである。
私は全人類から絶縁されている孤独者であり、人間社会から追放された者である。	だか、食うものもない不毛の地で餓死するという運命を免れている。
身にまとうべき衣類もない。	だがさいわい暑い気候のところにいる。ここでは衣類があってもまず着ることもできまい。
私は人間や獣の襲撃に抵抗するなんらの防禦手段ももたない。	だが私がうち上げられたこの島には、たとえばアフリカの海岸でみたような人間に害を加える野獣の姿はみられない。もしアフリカの海岸沖で難破していたとしたら私はどうなっていたであろうか。
私には話し相手も、自分を慰めてくれる人もいない。	だが有難いことに神が浜辺近く船をおし流してくれたため、多くの物資をとりだすことができた。これだけあれば生きているかぎり自分の必要をみたすこともできるし、またなんとか必要なものを手にいれることもできる。

出典：『ロビンソン・クルーソー』上／平井正穂 訳／岩波文庫より作成

合理的に判断しているのです。

そしてその結果を次のような言葉で受け入れています。

要するに、この世のなかでまたとないと思われるほど痛ましい境涯にあっても、そこには多かれ少なかれ感謝に値するなにものかがあるということを、私の対照表は明らかに示していた。（略）

（『ロビンソン・クルーソー』上／平井正穂 訳／岩波文庫）

宗教人としてのロビンソン・クルーソー

こうした「経済人としてのロビンソン・クルーソー」のあり方を支えたのは、「宗教人としてのロビンソン・クルーソー」でした。

ロビンソンは、著者デフォー自身がそうであったように、そしてまた、当時の中産階級の人々がそうであったように「プロテスタント」の家庭で育ちました。

日本人にはわかりにくいところだと思いますが、実は同じキリスト教徒でも、カトリックとプロテスタントでは、労働に対する捉え方が違います。カトリックの人々にとって労働は、原罪を犯し楽園を追われた人類に課せられた義務、もっと極端にいえば「罰」に近いものなのですが、プロテスタントの人々にとって労働は、神への奉仕であり、「美徳」なのです。

こうした違いが生じた発端は、宗教改革初期の指導者の一人であるジャン・カルヴァンが説いた「予定説」にありました。

予定説とは、簡単にいえば「神に救済される人間は神の意志によってすでに決められていて、人間の努力でそれを変えることはできない」というものです。

これだけ聞くと、すでに決まっているのなら、わざわざ勤勉に働く必要などないじゃないか、と思われるかもしれませんが、そうはいかないのが人間心理の奥深いところです。

キリスト教には、仏教の輪廻転生に代表される「生まれ変わり」の思想がありません。人生は一度きり、したがって救済のチャンスも一度しかありません。救済されなければ、ダンテが『神曲』で描いた恐ろしい地獄で、永遠の責め苦に遭わなければならないのです。そういう意味では、心のどこかで「来世がある」と信じる宗教観を持つ者とは、今世に対する真剣さが違うのです。

その結果、彼らは神の意志は人間には計り知れないとしつつも、「神によって選ばれた人間のあり方」というものを模索したのです。そしてたどり着いたのが、「信仰と労働のみに生きる」というものだったのです。なぜ労働なのかというと、労働は楽園から追放された人間に神が課した務めだからです。

『ロビンソン・クルーソー』で興味深いのは、ロビンソンがもともとはろくに祈りもしない信仰心の薄い人間だったということです。

そんな彼が初めて心からの祈りを神に捧げたのは、無人島で病気になり一人苦しんだときでした。

これが、私の全生涯を通じて、ほんとうな意味で神に祈ったといえる最初の祈りであった。（略）

（『ロビンソン・クルーソー』上／平井正穂 訳／岩波文庫）

このときの祈りで、神が自分の祈りを聞き入れてくれる希望を得たロビンソンは、これ以降、ことあるごとに神に祈り、感謝し、信仰心を強めていくのです。

この時代の中流階級を担ったプロテスタントの人々にとって、労働の真価はお金儲けではなく、神の救いに与る(あずか)ためのものなのです。そのことが『ロビンソン・クルーソー』では、非常に身につまされるかたちで、またわかりやすく示されていました。それゆえ、複雑性を増しながら資本主義が台頭していく社会の中で働く人々の心をとらえたのだと私は思います。救済はあくまでも神の意志なので、勤勉に働いたからといって必ず救われるという保障はありません。しかし、真面目に一生懸命働けば、救済に与れるかもしれない。

実際に物語では、疑いを持っていたロビンソンが、孤独な環境でだんだんと神に対する信仰を強め、勤勉に働き、神を信じて祈っていればいいんだという境地になったとき、彼はついに救出されることになるのです。

日本人は宗教観が異なるので、なかなかこうした視点から読み解くことはないのですが、ヨーロッパ的な、あるいはキリスト教的な文脈で読み解くと、彼が無人島という絶望的な環境で生き延びることができたのは、神に対する感謝と勤勉な労働によるところが大きいのです。

日本では青少年向けの冒険譚という印象の強い『ロビンソン・クルーソー』ですが、実際は、経済学的な視点やこの時代のキリスト教、特にプロテスタントの勤勉さの意味を知る歴史的史料としての価値など、さまざまにアプローチし読み込むことのできる奥深い作品です。

ですから、子供のときに児童書として本を読み、あらすじを知っている人も、ぜひ読み直してみていただきたいと思います。

11/20

ファウスト

ゲーテ

Johann Wolfgang von Goethe（1749〜1832）。ドイツの詩人・小説家・劇作家。小説『若きウェルテルの悩み』で一躍文名を高め文豪として知られるが、同時に自然科学の研究者としても多くの業績を残した。

私が訳したファウストについては、私はあの訳本をして自ら語らしめる積でいる。それで現にあの印行本にも余計な事は一切書き添えなかった。（中略）この極端な潔癖の結果として随分可笑しい事が生じた。それはあの印行本二冊のどこにもファウストの作者ウォルフガング・ギョオテの名が出ていぬと云う事実である。（中略）ファウストと云えばギョオテのファウストとなっているから、ことわるまでもないと考えた。そしてそのままにして置いた。

森鷗外（1862-1922）
「訳本ファウストについて」より

ドイツ文学の精華として民衆に受け入れられたゲーテの『ファウスト』。中世ヨーロッパの近代科学的な知識が浸透する以前には、魔術や悪魔の存在が信じられており、その時代に実在した錬金術師のファウスト博士の伝承は、民衆に広く親しまれていた。その伝説を素材として二十代から執筆を開始した『ファウスト』が書き上げられたのはゲーテ八十一歳、その翌年、最期を迎えた。文字通り生涯をかけたこの作品で、ゲーテの分身であるファウストはどのような結末を迎えたのか。

「トシをとったらゲーテを読もう」

『ファウスト』は、ドイツを代表する文豪ヨハン・ヴォルフガング・フォン・ゲーテ(一七四九〜一八三二)の最高傑作として名高い作品です。

とはいえ、知名度の高さに反して、実際に読んだ人は少ないのではないでしょうか。

今回、私が読んだ集英社文庫版『ファウスト』の訳者である池内紀(おさむ)氏も、「文庫版のあとがきにかえて」に次のように書いておられました。

トシをとったらゲーテを読もう。若いときから、そんなふうに決めていた。齢をかさねてからのほうがゲーテはおもしろく読めるような気がしたからだが、ズシリと重そうなので先送りにしたせいもある。

（『ファウスト』第二部／池内紀 訳／集英社文庫）

この気持ち、とてもよくわかります。

なぜなら、実を言えば、私も『ファウスト』をいつか読もうと思いながら、長い間先送りにしてきた者の一人だからです。そして今回、本書を書くにあたり、やっとじっくりと読んだわけですが、負け惜しみではなく、この歳になってから読んで良かったと思いました。

名著には、どの年齢で読んでもいいものもたくさんありますが、若いときに読んでおくべき本や、歳を重ねて初めて良さが身に染みる本もあるのです。『ファウスト』は、まさに後者の典型といっていい作品かもしれません。

歳を取ってから『ファウスト』を読んだほうがいい理由の一つは、内容を理解するのに、ある程度の知識と人生経験、そして想像力と忍耐力が必要だからです。

『ファウスト』は、同じゲーテの作品として知られる『若きウェルテルの悩み』のような小説作品ではありません。『ファウスト』は戯曲、それも詩の部分を多く含む「詩劇」として書かれた作品です。そのため、内容は台詞と詩によって構成され、さらに全文を通して「韻文」が用いられています。そして、この韻文の美しさこそが、『ファウスト』の評価の高さの一因になっているのです。

韻文の美しさと言いましたが、残念ながらこれは原文のドイツ語で読まなければ味わえないものです。それもかなりのドイツ語力が必要です。私も多少はドイツ語が読めますが、この韻律のどこがどう素晴らしいといったレベルのことまでは解説できないので、ドイツ語力に自信のある方は、ぜひ原文に挑戦してみてください。

日本語翻訳本は、ドイツ留学経験を持つ森鷗外が、一九一三年に森林太郎の名で出した完訳本に始まり、現在に至るまで数多く出版されてきました。しかしどの訳本でも、『ファウスト』は、読みやすいとか、わかりやすいといえる作品ではありません。もちろん『ファウスト』のわかりにくさの原因は、翻訳の問題ではありません。作品そのものに起因するものです。

『ファウスト』は第一部と第二部からなり、全体として読んだとき、もちろん全体を貫く大きな流れはありますが、話や場面が次々と変わっていきます。特に第二部ではその変わり方が時空を超越した大胆なものになるので、どうしても繋がりが曖昧でわかりにくくなってしまうのです。想像力と忍耐力が必要だと申し上げたのは、このためです。

また、これは私に特化したことかもしれませんが、第二部では『イリアス』に登場したメネラオスやヘレン（ヘレナ）、さらには古代ギリシア神話の神々が数多く登場するので、それらについての歴史的知識を持ちあわせていたことが、読み進めていく上で大きな助けとなりました。

もし、若いときに『ファウスト』を読んでいたら、途中で投げ出してしまっていたか、読み通せたとしても、そのすばらしさを理解できないまま終わっていたかもしれません。

『ファウスト』を書き上げた翌年、ゲーテは亡くなった

なぜ『ファウスト』は歳を取ってから読んだほうがいいのでしょう。

その理由の一つに、この作品がゲーテのライフワーク的作品であることが関係しています。

ゲーテが『ファウスト』を書き始めたのは、まだ二十代の若者だったときですが、第一部が完成し、出版されたのは一八〇八年、彼が五十九歳のときなのです。つまり、第一部だけで約四十年の歳月が費やされていることになります。

このときすでに第二部の一部分は書かれていたようですが、筆はなかなか進まず、ゲーテが第二部に本格的に取り組んだのは、七十六歳になってからでした。その後も苦しみながら書き続け、時にはすでに書き上げた部分を書き直し、やっと仕上がったのが一八三一年、ゲーテは八十一歳。その翌年、ゲーテは亡くなっているのです。

ゲーテがその長い人生を費やして書き上げた『ファウスト』とは、どのような物語なのでしょう。

この物語は、中世ドイツで生まれ、語り継がれてきた「ファウスト伝説」をベースとしています。

この伝説のルーツにはさまざまなものがあるのですが、実在したヨハン・ファウスト博士（一四八〇頃〜一五四〇頃）という錬金術師にまつわる伝承がいろいろな形で脚色されたという説が有力視されています。

実在のファウスト博士は、錬金術の実験に失敗したのか、爆死という当時としては珍しい亡くなり方をしたと伝えられています。そして、その悲惨な死にざまが、当時宗教改革に取り組んでいたマルティン・ルター（一四八三〜一五四六）によって「悪魔と契約した人間の末路」と言われたことで語り継がれ、「悪魔と契約し、自分の魂を渡す代わりに地上のありとあらゆる快楽を享受した男」という伝説になったというのです。

この「ファウスト伝説」は、ドイツでは民衆本や芝居にもなっており、ゲーテが少年時代に足繁く通った貸本屋には、昔話に混じって、子供向きに編集された『ファウスト博士の物語』もありました。

この幼いときから親しんでいた「ファウスト伝説」をベースに書かれたゲーテの『ファウスト』は、二部からなり、そのどちらも「悲劇」という言葉が冠されています。しかし、同じ悲劇でも、その内容は大きく違います。これもゲーテがそれぞれを書き上げた年齢と深く関わっているのでしょう。

実在したファウスト博士のイメージ画

第一部は、六十歳を目前にしたゲーテが書き上げた「悲劇」であり、第二部は、人生の終焉を目前にしたゲーテが書き上げた「悲劇」です。

翻訳者の池内氏が感じ、手に取るのを躊躇（ちゅうちょ）してきたゲーテ作品が持つ「ズシリとした重さ」

は、ゲーテの人生の重さそのものなのかもしれません。

純真無垢なグレートヒェンとの恋

物語の主人公は、自らの人生が終盤に近づいていることを自覚していたファウスト博士。彼は、これまで当時最高の学問を究めてきたにもかかわらず、自分が少しも利口になっていないことを嘆きます。

そして、絶望から自ら命を絶とうとしたとき、悪魔メフィストフェレス（以下、メフィスト）が現れて、「私がお前の手助けをしてやろう」「いい思いをさせてやる。誰もまだ見たことがないものを見せてやる」とささやいたのです。

ファウストは、メフィストが悪魔だということをわかった上で、自分の魂を売り渡す契約を結びます。

契約の条件は、ファウストが「とどまれ、おまえはじつに美しい」と言うまで。もし、彼がこの言葉を言ったら、彼の命は終わり、魂は悪魔のものとなる、というものでした。

契約を結んだメフィストは、ファウストを魔女のもとへ連れていき、若返りの薬を飲ませ、彼に若い肉体を与えます。

若い肉体を手に入れたファウストは、街で出会った純真無垢な乙女、グレートヒェン（マルガレーテ）に、熱い情熱を抱きます。

ファウストは、メフィストの魔力を使い高価な宝石を彼女に贈り、見事彼女の関心を惹き、二人は結ばれます。

しかし、グレートヒェンの兄ヴァレンティンは、妹が結婚もしていないのに男性と通じていることに怒り、二人の密会を阻止しようとします。二人は争いになり、メフィストにそそのかされたファウストは、恋人の兄を殺してしまうのでした。

第一部はここから一気に悲劇の様相を呈していきます。

兄をファウストに殺されてしまった上に、ファウストに言われて盛った眠り薬が効きすぎたのか、グレートヒェンの母も死んでしまいます。そんなときにグレートヒェンは、自分が身籠もっていることを知ってしまったのです。

もう頼る者はファウストしかいないのに、ファウストはメフィストによって、魑魅魍魎（ちみもうりょう）の集まるワルプルギスの夜に連れていかれてしまいます。

不安の中で一人子供を産んだグレートヒェンは、赤ん坊をもてあまし、ついには我が子を沼に沈めてしまいます。

自分が離れていた間に、グレートヒェンが婚前交渉と嬰児（えいじ）殺しの罪で投獄されていることとを知ったファウストは、彼女を脱獄させようとしますが、彼女はファウストのそばにいるメフィストの邪悪さを見抜き、自ら罪人として処刑される道を選びました。

愛したグレートヒェンを悲惨な死に追いやってしまったファウストは、自責の念にかられながら眠りにつく、というところで第一部は終わります。

今の知能と記憶を持ったまま若返ったら人はどうなるのか

この第一部には、ゲーテの「思い出」がふんだんに盛り込まれています。

まず、ファウストと悪魔メフィストフェレスが契約を結んだ直後、ライプツィヒのアウエルバッハ地下酒場で学生たちが酒を飲んで大騒ぎする場面があります。

この場面は非常に生き生きと描かれており、第一部の見せ場の一つとなっているのですが、それもそのはずで、これはゲーテがライプツィヒ大学の学生だったときの経験をもとに書かれているのです。

舞台になっているライプツィヒのアウエルバッハ地下酒場は、ショッピングアーケード「メードラー・パッサージュ」の地下にある実在のワイン酒場、「Auerbachs Keller／アウアーバッハス・ケラー」で、学生時代ゲーテはこの酒場に足繁く通っていたといいます。

この場面で描かれている、酒を痛飲し、歌って踊る学生たちの姿も、その学生たちを皮肉りからかうメフィストの姿も、学生時代のゲーテ自身の姿を再現したのだと思います。

また、若い肉体を手に入れたファウストが心を奪われた乙女の名前「グレートヒェン」は、ゲーテが十四歳のときに思いを寄せた近所の料理屋の娘の名前です。思春期のゲーテは、年上の彼女に恋をし、初めての失恋をしています。

つまり、メフィストもファウストも、ある意味、作者ゲーテの分身なのです。

ゲーテが第一部を完成させたのは、五十九歳のときですが、当時の寿命を考えれば、ファウスト博士が抱えていた悩みは、まさにゲーテ自身が痛感していたものだったのでしょう。そんな分身ともいえるファウストに、やはりゲーテの分身であるメフィストは、若い肉体を与えます。

もし、今の知能と記憶を持ったまま若返ることができたら……。

これは、ある程度の年齢に達した人間なら、誰もが一度は夢想する願いではないでしょうか。そして、この夢を実現させたファウストは、それまでの書斎に閉じこもる生活を捨て、街に出ます。

ここから展開されていくのは、ゲーテの「思考実験」だと私は考えています。

重要なのは、「今の知能と記憶を持ったまま」という点です。ただ若いときに戻っただけでは、同じ失敗を繰り返すのは明らかだからです。

つまり、「多くの人は、今の自分が持っている知能と記憶を、そのまま維持した状態で若返ることができれば、恋も人生ももっと上手くやれるはずだと考えるだろうが、本当にそうなのか？」という問いかけをゲーテはしているのです。

おそらくゲーテは、『ファウスト』を書くにあたり、何度も何度も思考の中で若い肉体を手に入れた自分の行動をシミュレーションしたのだと思います。その思考実験の結果、物語の中のファウストは、上手く立ち回るどころか、自分も恋人も、周囲の人々も巻き込んだ悲劇を演じることになるのです。

この物語に込めた、ゲーテのメッセージはどんなものだったのでしょう。

これはあくまでも私の考えですが、ゲーテは『ファウスト』という思考実験を通して、「人は、年月をかけて知能や記憶を蓄えても、結局、肉体的な若さを備えてしまえば、その若さに引きずられ、同じような過ちをしてしまうものなのではないか」という結論に至ったのではないかと思います。

そういう意味で、『ファウスト』は、ゲーテが自らの分身を使って行った思考実験的小説という面を持っているのではないでしょうか。

第二部に込めた晩年のゲーテの思い

第二部は、後悔と自責の念を抱いたまま眠りについたファウストが、雄大な自然の中で目覚めるところから始まります。

第二部は、第一部にも増して場面展開が速く、正直なところ、読んでいて繋がりに悩んでしまう場面が何カ所もありました。

例えば、この後すぐ第二部第一幕は「皇帝の城」の玉座へ場面が移ります。城では重臣たちが皇帝を取り囲み、この財政難をどのようにして乗り越えるのか、解決策が見えない議論が重ねられていきます。

ここに登場する「皇帝」は、神聖ローマ帝国の皇帝です。ゲーテが『ファウスト』を書いた十八世紀の神聖ローマ帝国が抱えていた最大の問題は、財政難でした。かつての栄光は失われ、十七世紀の三十年戦争以降は、皇帝とは名ばかりで権力も権威も失われていました。

その神聖ローマ帝国が最終的に消滅したのは一八〇六年、ゲーテが第一部を完成させる二年前のことです。つまり、ゲーテは第二部ですでに失われた神聖ローマ帝国が抱えていた問題に対し、解決策があったのではないかと、ここでもある種の思考実験を試みているのです。

ゲーテは、道化に扮した悪魔メフィストの口を使って次のような提案をします。

> （略）戦乱の時代に人々は土地を捨てて逃げまどった。恐怖にかられて、いちばん大切なものをあちこちに隠しました。大いなるローマ時代このかた、いつも同じことをしてきた。いまもお宝が土に埋もれている。大地は皇帝のもの、それを掘り出せばよろしい。
>
> （『ファウスト』第二部／池内紀 訳／集英社文庫）

要は、世の中には土に埋められたまま眠っている財産がたくさんあるはずだから、それを集めてくれれば財政難を克服できる、ということです。

昔のお金は今と違って紙幣ではありません。金貨や銀貨は重く、持ち歩くにも大変で、襲われれば逃げ切れない危険もありました。もちろん銀行のような安心して預けられる場所もありません。そのため、多くの人々は、壺などにお金を貯め込んで、誰にも知られないように土に埋めていたのです。

そうしたものを貯めていることを、本人が息子などにきちんと伝えていればいいのですが、そのうちに言おうと思っているうちに亡くなってしまったり、あるいは戦乱などで逃げた先でそのまま亡くなってしまったりすれば、埋められた金銀はそのまま忘れ去られてしまうことになります。

そんなことが本当にあるのか、と思うかもしれませんが、これは決して珍しいことではありませんでした。事実、古代遺跡を発掘していると、埋もれたお金が発見されることがよくあります。

ゲーテはそうした実状を知っていたのでしょう。だから、色々な場所を洗いざらい探せば、かなりのお宝が出てくるはずだという考えは荒唐無稽なことではありません。

まあ、この策が本当に実現できたかどうかはわかりませんが、物語の中ではこの策が当たり、国家財政が回復することになっています。

人生の終焉にゲーテが夢見た世界

その後も、かつてのファウスト博士の助手であったヴァーグナーがホムンクルス（人造人間）を作っている実験室へ飛んだり、時空を超えて古代のワルプルギスの祭りの場面に飛び、古代の神々や怪物、人間が数多く登場したりと、非常にめまぐるしく物語が進んでいきます。

そうしたなかで最も大きな物語として展開されるのが、『イリアス』に登場した絶世の美女ヘレナ（ヘレン）とファウストの恋物語です。

ファウストが、冥界から蘇らせたヘレナと過ごすのは、現在とも過去ともつかない不思議な世界です。

そもそもファウストが美女ヘレナを蘇らせたのは、皇帝が天下の美女を所望したからだったのですが、美女を目の前にしたファウストは、またもや自分の劣情を抑えられなくなり、メフィストにヘレナとうまくいくよう手を尽くすように命じます。こうして二人は結ばれ、一緒に生活することになるのですが、まあ、これは単純に男の夢が詰まっているところだといってもいいでしょう。

純真無垢なグレートヒェンにしろ、絶世の美女ヘレナにしろ、現実の人生でも次々とうら若き女性に恋心を燃やしたゲーテの好みが、『ファウスト』には見られます。実際、絶世の美女というときに、クレオパトラではなくヘレナを選ぶところは、七十歳を過ぎても十代の女性に求婚したゲーテの、従順な女性を好む性質が見て取れるような気がするのは、私だけではないはずです。

それはともかく、ファウストはヘレナと平和な家庭生活を営み、その結果、アイフォリオンという子を授かります。しかし、ファウストの気性を受け継いだアイフォリオンは、より高みを目指そうと崖から飛び立ち、イカロスの如く墜死してしまいます。

息子の死とともに、ヘレナの姿も消え、ファウストは再びメフィストとともに神聖ローマ帝国の皇帝のもとに戻ります。

このとき神聖ローマ帝国は、財政難を克服した皇帝勢力と、それに敵対する反乱軍との戦いを繰り広げていました。そのなかでファウストは権力を求め、ある程度の領地を得てその望みをかなえていきます。この辺りの記述は非常に抽象的な表現が多く、ストーリー展開がわかりづらくなっていますが、物語はいよいよ終盤へと進んでいきます。

一般的な「ファウスト伝説」で語られるファウスト博士の最期は、悪魔と契約を結んだ者の悲惨な末路、という形をとるのですが、ゲーテのファウスト博士は、まったく違った結末を迎えます。

ゲーテの分身であるファウスト博士がどのような最期を迎えるのか、悪魔メフィストとの契約はどのような結末を迎えるのか。

物語の結末は、みなさん自身で確かめてみてください。

一つだけ言えるのは、この結末は、おそらく死が目前に迫っていることを自覚していたゲーテ自身が抱いていた思いと重ね合わせたものだということです。

12/20

ゴリオ爺さん

バルザック

Honoré de Balzac（1799～1850）。フランスの小説家。事業を起こすも破産し、莫大な借金を負う。その返済を企図して書いた小説で認められる。以後、次々と長編小説を発表。リアリズム小説の祖とされる。

今日では、各種の格差が再び現れ、社会や民主的発展に対する多くの信頼が揺さぶられていても、ほとんどの人はヴォートランがラスティニャックに入れ知恵した時に比べ、世界は激変をとげたと信じている。

トマ・ピケティ(1971〜)
『21世紀の資本』より

小説『ゴリオ爺さん』は、多作で知られるバルザックの作品集「人間喜劇」確立の契機となった大傑作である。パリの華やかな社交界と場末の下宿屋を舞台に、癖の強い登場人物が繰り広げる怒濤の群像劇。「このドラマは架空の物語でもなければ小説でもない……すべてはまこと（オール・イズ・トルー）……」として幕を開ける。ここに描かれているのは観察眼鋭く切り取られた社会の光と闇である。

世界の十大小説に挙げられた名作

『ゴリオ爺さん／Le Père Goriot』は、十九世紀のフランスの文豪、オノレ・ド・バルザック（一七九九〜一八五〇）の代表作。本作を著したのは、一八三四年から翌三五年にかけて、彼が小説家として最も充実していた頃です。

イギリスの小説家サマセット・モーム（一八七四〜一九六五）は、『世界の十大小説』で、『ゴリオ爺さん』を取り上げ、「あらゆる偉大な小説家の中で、もっとも偉大なのがバルザックであると私は考える」と、最大限の賛辞を呈しています。しかしモームのこの賛辞は、『ゴリオ爺さん』という単品の小説に対する評価ではありません。

（略）バルザックの偉大さは、ただ一篇の作品にあるのではなく、恐るべき大量の作品を生産したところにある。

バルザックが扱った世界は同時代の全生活であり、その及ぶ範囲は広く、母国フランスの国境にも等しい。彼の人間に関する知識は、どのように身につけたにせよ、類の少いすばらしいものである。（略）

（W・S・モーム『世界の十大小説』上／西川正身訳／岩波文庫）

モームが語っているように、バルザックは驚くほど多産な作家です。

バルザックは、一八三一年『あら皮』で作家としての成功を収めますが、作品集「人間喜劇」の構想を思いついたのは、その後間もなくのことだったようです。

この「人間喜劇」という作品集名は、ダンテの『神曲（神聖な喜劇）』を踏まえたものだといわれています。

一八四五年のバルザックの計画では、この作品集には全部で一四三篇の小説が収められる予定でした。なぜそれほど多くの作品が必要だったのかというと、彼がこの作品集で目指していたのが、パリを中心としたフランスの社会史を小説群によって描き出すことだったからです。しかし、残念ながら「人間喜劇」は、バルザックの死によって九一編で終わっています。

バルザック本人にしてみれば、書き足りなかったかもしれませんが、わずか二十年足らずの間に九一編もの小説を書き上げるのは驚異的な速さです。

『ゴリオ爺さん』は、「人間喜劇」の中でも初期の作品で、作品集の中の最高傑作であると同時に、続く作品群の原点ともいえる作品です。

なぜ原点なのかというと、「人間喜劇」最大の特徴が、同じ登場人物を異なる作品に複数回登場させていることだからです。たとえば、『ゴリオ爺さん』に登場する青年、ウジェーヌ・ド・ラスティニャックは「人間喜劇」全九一編中二五作品に、同じく銀行家ニュシンゲン男爵は三一作品に、さまざまな形で登場しています。「人間喜劇」に登場する人物は全部で二〇〇〇人以上。ですから「人間喜劇」全体として読めば、当時のパリの様子が、そこで生活していた人々の人間模様を通して実に生き生きと見えてくることになるのです。

これは、モームのような作家だけでなく、私のような歴史家にとっても、もの凄く魅力的なことです。なぜなら、一つの社会を丸ごとさまざまな角度から観察しているので、歴史家が理論的、抽象的記述で済ましてしまうところを、具体的に描いているからです。

溺愛する娘二人に財産を貢ぐ老人ゴリオ

世界で最も偉大な小説家が書き上げた数多くの作品の中でも、最高峰に位置する『ゴリオ爺さん』とは、どのような小説なのでしょう。

舞台は一八一九年のフランスです。

この時期のフランスは、ナポレオンの百日天下が失敗に終わり、再び王位に返り咲いたルイ一八世（在位一八一四～一八一五／一八一五～一八二四）のもと、社交界が息を吹き返していました。

そんな王政復古の時代のパリに、革命以前から続く「ヴォケール館」という一軒のうらぶれた安下宿がありました。ヴォケール館には、女主人のヴォケール夫人と、料理女のシルヴィ、下男のクリストフの他、老若男女七人の店子（たなこ）が住んでいました。

その店子の中に、この物語の主役といえる三人の人物がいます。

一人は、パリで法学を学ぶウジェーヌ・ド・ラスティニャック。彼は、地方の貧しい貴族の嫡男で、田舎の母と妹の期待と愛情を一身に受けていました。しかし彼は、学問より社交界に興味があり、金持ち貴族の夫人と懇（ねんご）ろになろうという野望を抱いていました。

二人目はヴォートランという得体の知れない四十がらみの中年男。

『ゴリオ爺さん』主な登場人物

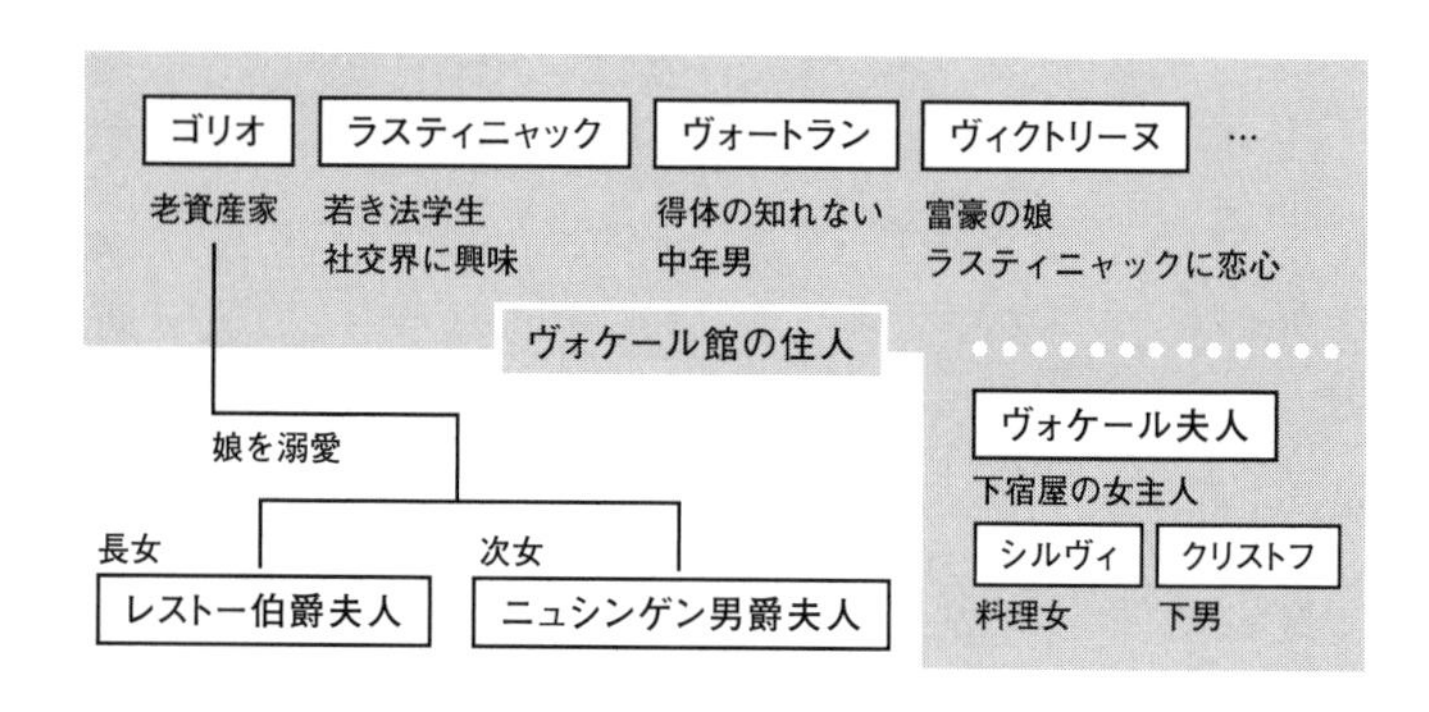

三人目は、タイトルにもなっているゴリオという名の老人です。彼「ゴリオ爺さん」は、フランス革命勃発（一七八九）の前後に起きた飢饉の際に、上手く立ち回って大金を儲けた製麺業者でした。

ちなみに、この一七七〇年代から一七八〇年代にかけては、地球規模の寒冷化によって、世界各地で飢饉が起きています。日本で何年も飢饉が続き、全国で九〇万人以上の死者を出した天明の大飢饉が起きた時期です。フランスで起きた飢饉もひどいもので、この飢饉によって庶民の生活が困窮したことが、フランス革命の遠因の一つだといわれています。

ゴリオが仕事を引退してヴォケール館に越してきたのは一八一三年、すでに七十歳近くになっていたゴリオは、何不自由ない生活をするのに充分な資産と年金を持っていました。それは、彼の持ち物を見たヴォケール夫人に、あわよくばゴリオと再婚して下宿屋の女主人など辞めて優雅な生活を送ることを妄想させるほどの金額でした。

ところが、最初はなんで資産家のゴリオがこんな安下宿に来たのだろうと訝しんでいたヴォケール夫人も、二年ほど経った頃から、ゴリオが単なる倹約家などではなく、資産が明らかに目減りしていっていることを知り妄想から醒めます。

なぜなら、ゴリオが家賃の値下げを頼んできたからです。

やがて、ヴォケール館の人々にも、ゴリオの生活が凋落(ちょうらく)していった理由が明らかになります。彼は、貴族に嫁いだ美しい愛娘二人に財産を貢いでいたのです。

「キリストの父性」と称する自己犠牲

それぞれ貴族に嫁いだ、ゴリオの美しい娘たちは、貧しい下宿に住む父のもとを訪ね小遣いをせびり取っては、贅沢な社交界での暮らしを楽しんでいました。

そして娘たちの美しさとは対照的に、ゴリオ爺さんの財産は一つまた一つと消えていき、物語の始まる頃には、ゴリオはすっかり老け込み、病に冒された、哀れな老人になり果てていました。

しかし、その境遇以上に哀れなのは、そこまで娘たちに尽くしても、長女のアナスタジー・ド・レストー伯爵夫人も、次女のデルフィーヌ・ド・ニュシンゲン男爵夫人も、ゴリオの援助を当たり前と思い、まったく感謝していないことでした。

それでもゴリオは、人に「なぜあんたは、こんな貧乏暮らしをしてまでそんなに娘たちを溺愛（できあい）するんだ」と聞かれても、「娘が喜んでくれることが自分の喜びなんだ」と答え、貢ぎ続けるのでした。

ゴリオのこうした娘たちへの溺愛から生ずる苦しみを、作品の中では「キリストの父性」と称していますが、その自己犠牲は最期まで報われることはありません。

ゴリオの悲惨な死を語る前に、もう一人の主人公ラスティニャックとゴリオの関係に触れておきましょう。

ラスティニャックは、ゴリオとは正反対の立場の青年です。

彼は、法学部に通うために田舎からパリに上京してきた学生です。最初こそ将来は立派な公務員になって、最終的には弁護士になるという志（こころざし）を持っていたのですが、パリで生活しているうちに、だんだんと社交界に惹かれていき、ついには金持ちの貴族の女性と懇ろになり上流階級の仲間入りをしようという野望を持つようになります。

しかし、社交界に顔を出すにはそれなりの資金が必要です。そこで自分が母親と妹たちから溺愛されていることをいいことに、彼は実家にお金を無心しては社交界に顔を出して女性を物色していたのでした。

そんなラスティニャックが最初に近づいたのが、ゴリオの長女レストー伯爵夫人でした。しかし、レストー伯爵夫人は見向きもせず、ラスティニャックは惨敗を喫します。

人妻に言い寄るなんて、と思うかもしれませんが、この当時の貴族の夫婦関係では、夫にも妻にもそれぞれ愛人がいるというのが、当たり前の世界だったのです。

次にラスティニャックが近づいたのが、ゴリオ爺さんの次女ニュシンゲン男爵夫人でした。こちらは見事、恋仲になることに成功します。

次女と、自分と同じ下宿に住むラスティニャックが恋人同士になったことで、長女よりもゴリオに優しく接していた次女のために、ゴリオは彼ら三人と一緒に暮らすことを夢見て、全財産をはたいて次女に家をプレゼントするのでした。

謎の住人ヴォートランの正体

ゴリオとその二人の娘とラスティニャックをめぐるストーリーとともに、この物語のもう一つの見所となっているのが、謎の住人ヴォートランのストーリーです。

彼はゴリオの娘たちに近づくラスティニャックに、そんな貴族の人妻なんかやめて、ヴォケール館に住むヴィクトリーヌ・タイユフェールと結婚することを勧めます。

実はこのヴィクトリーヌという娘は、富豪の娘なのですが、父親に認知してもらえず、不遇の生活を送っていたのです。

ヴォートランがラスティニャックに彼女との結婚を勧めたのは、ヴィクトリーヌがラスティニャックに恋心を抱いていたことを知っていたからです。

とはいえ、ヴォートランは親切心で二人を結びつけようとしたわけではありません。ヴィクトリーヌの父である富豪には、一人息子がいるのですが、この男さえ殺してしまえば、彼女に莫大な財産が転がり込む。そうしたらその分け前に与ろうと考えていたのです。

こうした企みをもって、ヴォートランがラスティニャックにささやきかける言葉が、実に秀逸で、読んでいるうちに、もしかしたらこれぐらいずるい事をしたほうが本当は良いのかもしれない、と思えてくるほど説得力があるのです。

こうしてラスティニャックは、ヴィクトリーヌに興味などないのですが、彼女を好きな振りをして近づいていくことになります。

しかし、さすがに彼女の兄を殺すとなると話は別です。

ヴォートランは、当時認められていた決闘の末の殺害なら罪に問われることはないと誘惑しますが、結局ラスティニャックが計画を下りたことで、自分の仲間を使ってこの計画を実行します。

しかし、まさにその計画が実行された日、ヴォートランは警察にその正体が突き止められ、逮捕されてしまうのでした。謎の男ヴォートランの正体、それは「トロンプ・ラ・モール（不死身）」と呼ばれた悪党の親玉だったのです。

ゴリオ爺さんの最期

そうしたなか、ゴリオ爺さんは、ついに病が悪化し死に瀕することになります。

ゴリオは、娘が喜んでくれれば良いと思っていたわけですが、同時に、いつかきっと娘たちが自分の気持ちをわかってくれるだろうという期待も持っていたのだと思います。

しかし、娘たちは一向にゴリオの気持ちなど推し量らず、全財産を使い果たした瀕死の父親にさらなる援助をしてくれるよう泣きつきます。

娘たちのひどい状態を病床で聞かされたゴリオは、自分が今まで娘が幸せになってくれることだけを願って必死にやってきたにもかかわらず、娘たちが少しも幸せになっていないという現実に打ちのめされます。

それも影響してか、容体はどんどん悪化し、ついには危篤状態に陥るのですが、娘たちは自分たちの都合を優先して、いずれ行きますと使いに返事をするだけで、実際に姿を見せることはありません。

やっと長女のレストー伯爵夫人が訪れたときには、すでにゴリオの意識はなく、そのまま娘の顔を見ることなく息を引き取ります。

結局、ゴリオの死を看取り、死に装束を整え、葬儀代を支払ったのはラスティニャックでした。ゴリオが溺愛した娘たちは、その葬儀にすら顔を出さなかったのです。

物語は、ゴリオの埋葬を終えたラスティニャックが、パリの街を見下ろす高台に立ち、「今度はおれが相手だ!」と言い放ち、ニュシンゲン男爵夫人の家に夕食に向かう、というシーンで終わっています。

今という時代と重ねられる普遍性

あらすじを最後までたどりましたが、物語の結末を知って読んだとしても、この作品の価値は少しも損なわれることはないでしょう。なぜなら『ゴリオ爺さん』の真価は、バルザックの卓越した情景描写と、登場人物の心理描写にあるからです。

バルザックはこの物語の冒頭から、当時のパリの情景、そして下宿屋ヴォケール館の様子と、そこに住む人々についての説明を非常に丁寧に、もっと端的にいえば、細部にわたって長々と語っています。それがどれほど長いのかというと、なんと全体の約四分の一にも相当しています。

そういう意味では、何も予備知識を持たずにこの本を読むと、なかなか本題が現れずイライラしてしまう人もいるかもしれません。

しかし、この細かな描写を丁寧に読んでいくと、当時の貴族社会の腐敗と貧しいけれどもしたたかな庶民階級の姿、それらの舞台となっている大都会パリ全体が生き生きと立ち上がってくることが感じられることでしょう。

また、バルザックの登場人物の心理描写は、非常に優れています。

たとえば、ラスティニャックの台詞を読んでいると、男性の言葉に女性がどう反応するのか、どうすれば女性の気を引くことができるのか、そうした女性に対する取り入り方を知ることができます。

おそらくこれは、若き日のバルザック自身が、社交界で数多くの女性たちを相手にしてきたなかで経験し、学んできたことかもしれません。ですから、男女の駆け引きや、よかれと思って言った言葉が相手に誤解されたときなどの心情が、非常に巧みに描かれているのです。

他にも、ヴォートランに代表されるような、世の中の裏を動かしている理屈も、実に説得力があります。確かに人として褒められるような行為ではないのですが、苦しい生活のなかで、犯罪にギリギリならないことをやっていくときの理屈には、ラスティニャックでなくても「世の中はそういうものかもしれない」と思ってしまう不思議な力があります。

事実、『ゴリオ爺さん』には、掛け値なしの善人は登場しません。それぞれキャラクターは違っても、みな自分の思いを優先させるエゴイストなのです。でも、人というのは、本来そういうものなのかもしれません。

ゴリオの最期は非常に悲惨で、その生き方は「キリストの父性」といわれるのにふさわしい自己犠牲に満ちたものに見えます。だからこそラスティニャックも、ゴリオに同情し、身銭を切って彼の最期の世話をするのですが、ある批評家は、そんなゴリオでさえ、その本質はエゴイストだと言います。なぜなら、彼の娘への愛は、自分の溺愛を押し付けているにすぎないからです。

この時代、富裕層はある程度固定してしまっていたので、財産のない庶民が金持ちになることは、とても難しいことでした。そんなとき、娘を持つ親が考える幸せな人生に至る

「王道」は、娘を貴族の家に嫁がせることだったのです。

しかし、庶民が貴族に嫁ぐためには、それなりの持参金が必要なのが現実です。そういう意味では、ゴリオが寂しい思いをしてでも娘二人を貴族に嫁がせたのも、全財産を娘に貢いだのも、自分が思い描いた理想を実現させるためだったと見ることもできるのです。

そして今、実は当時と同じような富裕層の固定化が世界で進み、貧しい者が富裕層に食い込むには玉の輿に乗るしかないという時代が、再び到来しつつあると、フランスの経済学者トマ・ピケティは名著『21世紀の資本』の中で指摘しています。

歴史は繰り返されるといいますが、今という時代と重ねて『ゴリオ爺さん』を読むということも面白いのではないでしょうか。そして、そうした読み方ができる普遍性も、この作品のすばらしさの一つだと私は思います。

さて最後に、「今度はおれが相手だ！」と言い放ったラスティニャックがその後どうなったのか。興味を持った人のために、その後のラスティニャックの物語が「人間喜劇」の中の『ニュシンゲン銀行』という小説で読めることを申し添えておきます（翻訳は『バルザック「人間喜劇」セレクション　第7巻　金融小説名篇集』〈藤原書店〉に収録されています）。

13／20

大いなる遺産

ディケンズ

Charles Dickens（1812〜1870）。イギリスの小説家。貧しい幼少期を過ごし、学校にもほとんど通えなかったが独学し、さまざまな職業を経て新聞記者になる。下層中産階級の社会や弱者をユーモアとペーソスを交えあたたかな共感を込めて描き、多くの小説を残した。代表作に『クリスマス・キャロル』『オリバー・ツイスト』など。

彼（ディケンズ）は当然のこととして、

いつといかなる場合にも負け犬の側に立つ。

ジョージ・オーウェル（1903〜1950）

『オーウェル評論集』より

両親と死別し、孤児として育った少年のもとに、匿名の人物から莫大な遺産の相続話が持ち上がる――。丹念な心理描写と、推理小説を思わせる緻密(ちみつ)な構成、金欲にとらわれた社会と人間への批判を滲(にじ)ませることにより、単なる立身出世の物語とは一線を画す本作は、作者ディケンズの半自伝的作品としても知られる晩年の傑作。この雄編がわれわれにもたらした「expectation」とは。

善悪の判断が読者に委ねられる物語

十九世紀のイギリスの小説家、チャールズ・ディケンズの『大いなる遺産』は、物語文学の最高傑作の一つといえる素晴らしい作品です。

この作品の魅力は、読み進めていくほどにどんどん面白くなっていくところです。岩波文庫の『大いなる遺産』は上下巻。合わせて一〇〇〇ページほどの長編ですが、ほとんどの方がその長さを感じることなく一気に読めるのではないでしょうか。実際私は、上巻を読んでいるときに、すでに充分面白いと思っていたのですが、下巻に入るとさらに面白くなり、少しでも本を閉じると、先が気になって、またすぐに本を開いて一気に読んでしまいました。

この作品には、恋愛やサスペンス、家族に対する思いや社会批判など、実に多くの要素が含まれています。登場人物も多く、複雑ではありますが、それらが絶妙に絡み合っていて、読んでいる最中はそうした複雑さに煩わされることなく読み進められ、最後にはすべての伏線が見事に回収されていきます。

改めてこの作品を思い返したとき、私が強く感じたのは、われわれが知っている「小説」というのは、この時代に生まれた文学なのだ、ということでした。

事実、先に紹介したバルザックや、ディケンズの小説は、それ以前の作品、たとえばセルバンテスの『ドン・キホーテ』などとは、明らかに違います。セルバンテスやデフォーの時代の物語は、どちらかというと、教訓や真理を伝える目的をもって書かれた物語でした。

しかし、バルザックやディケンズなど十九世紀の作品になると、人間を、社会全体を視野に入れた上で、一つの筋書の中に収めて描いていくという、私たちが知っている「小説」のスタイルになっているのです。

このスタイルの変化は、物語に含まれる教条的な要素を減らすため、善悪の判断が読者に委ねられることになりました。

実際、ディケンズは、読者をすごく意識しており、常に読者を楽しませようと、作品の中にいろいろな伏線や仕掛けを凝らしています。

私は『大いなる遺産』について「面白い」という言葉を使いましたが、その内容は、彼の初期の名作『オリバー・ツイスト』や『クリスマス・キャロル』のようにハッピーエンドを迎える明るい物語ではありません。これは時代の影響もあると思いますが、暗く重いテーマも含んでいます。それでもこの作品がエンターテインメントとしてとても「面白い」のは、ディケンズの巧みな心理描写と、彼の文章が生み出す絶妙なユーモアの賜物でしょう。

そしてこれこそが彼の作品が、当時も今も、多くの人々に愛され続けている理由だと思います。イギリスの国民的作家ディケンズの最高傑作、『大いなる遺産』とはどのような物語なのでしょう。

「並はずれた人間」を目指す主人公ピップ

『大いなる遺産』は、主人公ピップが人生を回想する、一人称形式の作品です。

全体は三部で構成されており、第一部は田舎での幼少期の出来事、第二部は大都会ロンドンでの青年期、第三部は青年期の続きですが、それまでの物語で生まれたさまざまな謎が回収され、意外な結末へと導かれていきます。

物語は、主人公ピップが七歳のクリスマスイブから始まります。

「ピップ」は、本名ではありません。彼の本当の名前はフィリップ・ピリップですが、まだ幼く上手く舌が回らないため、自分のことをピップと言い、周りのみんなからもそう呼ばれていました。

彼が育ったのは、イングランド南東部に位置するケント州の片田舎、テムズ川下流域に広がる湿原地帯でした。

ピップは、両親の顔すら知らない孤児でしたが、天涯孤独というわけではなく、年の離れた姉がいました。姉はかなり気性のキツイ女性で、今なら完全に虐待にあたるようなことをピップにしたり言ったりしていました。とはいえ、彼女はピップが嫌いでそうしているのではなく、彼女なりにこの子を立派にしなければいけないと思ってやっていたようです。それにキツイのは生来の性格らしく、彼女は夫にもかなりキツく当たっていました。

姉が結婚したのは、鍛冶屋（かじ）のジョー・ガージャリーという、頭は少々弱いけれど、気立ての優しい人物でした。ジョーは義弟にあたるピップを友として対等に扱い、時には姉からかばい、二人は強い信頼関係を結んでいました。そして、今はまだ幼く簡単な手伝いぐらいしかできませんでしたが、それなりの年齢になったら、ジョーのもとで年季奉公をすることになっていました。

ピップが七歳のクリスマスイブ、その日彼は、一人で両親の眠る教会の墓地を訪れていました。教会の墓地は、原野のままの湿原に隣接する寂しい場所です。ピップはそこで一人の脱獄囚と遭遇します。

脱獄囚はピップの首根っこを捕まえ、自分に遭遇したことを誰にも言わないこと、そして明朝、食べ物と足枷（あしかせ）をはずすためのやすりを持ってくるように言いつけます。約束を破ったら殺すと脅されたピップは、クリスマス用に準備してあった家の食べ物を失敬して、約束通りやすりとともに脱獄囚に届けたのでした。

ピップは約束を守り、彼のことを誰にも話しませんでしたが、脱獄囚は間もなく警察に捕まります。脱獄囚が捕まり、ピップに日常が戻ったある日、ジョーの伯父のハンプルチュックの仲立ちで、ピップはミス・ハヴィシャムという風変わりな資産家の中年女性の家に通うことになりました。

ミス・ハヴィシャムは、人付き合いを嫌う、風変わりな女性でした。

実際、ピップは彼女と初めて対面したとき、思わず悲鳴を上げそうになってしまいます。なぜなら彼女は、すっかり古びてしまったウエディングドレスを着ていて、「蠟人形と骸骨とに黒い目玉がついて、これが動きだし、僕を見つめているように思えた」からでした。

なぜ彼女が古びたウエディングドレスを着ていたのか、その謎は後に解けますが、このときのピップはそれを質(ただ)すこともできないまま、彼女の「気晴らしをしたい」という希望で、エステラという彼女の養女とトランプをして遊ぶ姿を見せることになります。

エステラは、年の頃はピップと同じぐらいの非常に美しい女の子でした。

しかし、その美しい顔でエステラは、ピップを蔑(さげす)み、「何てざらざらした手をしているんでしょう。それと何てどた靴を履いてるのかしら」と、言うのでした。

エステラのピップを蔑んだ言葉は、彼の心をえぐりました。

自尊心を傷つけられたピップは、一人涙を流しますが、やがてその悔しさをバネに「並はずれた人間」になることを決意します。そして、そのために、幼馴染みのビディという女の子に、彼女が勉強したことをすべて教えてほしいと頼みます。

ビディは、町で教会事務員をしているウォプスルさんの大叔母の孫娘ですが、ピップと同じ孤児で、大叔母が経営している教育施設で子供たちに読み書きを教えたり、同じく大叔母が経営している雑貨屋を切り盛りしていました。心優しいビディは、ピップの頼みを聞くと「いいわよ」と即答し、自分が知っているさまざまなことを教えてくれました。ピップは、このおかげで、ほんの少しでしたが、読み書きと計算ができるようになっていたのです。

遺産を譲り受けるための三つの条件

ミス・ハヴィシャムの家に行って、話をしたりエステラとゲームをしたり、そんな生活が数年ほど続きました。その間、エステラは相変わらずピップに高飛車で冷たい態度をとっていましたが、ピップはそんなエステラに心を傷つけられながらも、彼女に強く惹かれていくのでした。

ピップが、これからも長く続いていくものと思っていたこの生活も、ある日のミス・ハヴィシャムの「背が高くなったもんねえ、ピップちゃん」という不満げな一言で、終わりを迎えます。

ミス・ハヴィシャムは、ジョーを連れてくるように言い、ピップにこれまでの賃金を渡し、ジョーとピップに正式な徒弟契約を結ばせました。

ジョーのもとでの年季奉公が始まり、エステラと会うこともなくなったピップですが、その後もビディとの勉強は続けていました。ビディは美人ではありませんでしたが気立てが良く、ピップは自分を傷つけるエステラより、ビディのほうが自分にとってふさわしい相手なのではと思う気持ちが芽生えていましたが、どうしてもエステラを脳裏から消し去ることはできませんでした。

ある日、ピップの姉が、何者かに襲われ、一命は取り留めたものの、意思の疎通もままならない半身不随の状態になってしまいます。

そんなピップの姉の世話をしてくれたのが、ビディでした。ビディは、ちょうどその頃、ウォプスルさんの大叔母が亡くなったこともあり、ピップの家に来ることができるようになっていたのです。

こうしてピップがジョーのところで働くようになって四年ほど経った頃、ロンドンからジャガーズという弁護士が訪れます。

ジャガーズは、ある人物が、ある条件のもと、ピップに多額の遺産を譲りたいと言っているが、その申し出を受ける気があるか、というのです。

条件は三つ。一つは、「ピップ」という名を名乗り続けること。二つ目は、遺産の贈り主自らが名乗り出るまで決して詮索しないこと。三つ目は、ロンドンに出てジェントルマンになるための教育を受けることでした。

当時の「ジェントルマン」は、貴族や紳士とは少し違います。時代背景として、中産階級が新興貴族としてのし上がってきたということもあり、資産家にふさわしい立ち居振る舞いや学問、教養やたしなみ、他にも女性に対する騎士道精神に適った礼儀、さらには冷静沈着で温厚でと、要するに、それなりに人格の「立派な人」という意味でした。

もともと「並はずれた人物」になりたいと思っていたピップは、この申し出を喜んで受け、ロンドンへ向かいます。ここまでが第一部の大まかなストーリーです。

遺産の贈り主を詮索してはいけないと言われたピップには、密かに心当たりがありました。なぜなら、ジャガーズ弁護士は、ロンドンのやり手の弁護士でしたが、ミス・ハヴィシャムの顧問弁護士でもあったからです。それに、ピップの教育係となったのも、ミス・ハヴィシャムの従兄弟に当たるマシュー・ポケットという人物だったのです。

第二部では、ロンドンでピップがジェントルマン育成教育を受ける日々が描かれます。ロンドンでの生活は何もかもが刺激的でした。『ゴリオ爺さん』のラスティニャックがそうだったように、ピップも初めての都会生活で、さまざまな遊びを覚え、ちょっとだけ堕落していきます。

教育係のマシュー・ポケットの息子、ハーバートと親友になったピップは、ミス・ハヴィシャムがウエディングドレスを着ているわけや、エステラが彼女にどのように育てられたかを知ります。

境遇が変わり、つきあう人々が変わり、人生が大きく変化したピップですが、一つだけ変わらないものがありました。それは、エステラへの恋心でした。

そこでピップは、ミス・ハヴィシャムは、自分に財産を与え、将来はエステラと自分を結婚させようと考えているのだろうと思うようになります。

しかし……。

『大いなる遺産』は、この第二部以降、さまざまな謎が明かされていき、まるで上質な推理小説のようなスリリングな展開へと移行していきます。

もちろん、ピップの恋の行方も一筋縄ではいきません。美しいエステラと、心優しいビディの間で心が揺れ動くピップの恋はどうなるのか。姉のミセス・ガージャリーを襲った犯人は誰なのか。そして何よりも、ピップに莫大な遺産を贈る人物は誰で、そこにはどんな理由が秘められているのか。結末は、みなさん自身で読んで確かめてみてください。

原題『Great Expectations』に込められた二つの「期待」

先ほど、ディケンズは読者を意識して作中にさまざまな伏線や仕掛けを凝らしていると述べましたが、実はタイトルもその一つです。

作品の邦題『大いなる遺産』は、原題の『Great Expectations』を直訳したものです。原題で使われている「expectation」という単語には、確かに「遺産」という意味があるのですが、この単語の最も一般的な意味は、実は「遺産」ではなく「期待」なのです。

一般的な「遺産」という場合は、「World Heritage／世界遺産」のように「heritage」という単語が用いられます。この二つの単語が意味する「遺産」は、どのような違いがあるのかというと、heritageは家系的に受け継ぐ遺産で、expectationは誰かの意思によって将来与えられるであろう遺産、という点です。

しかも、よく見るとタイトルでは「Expectations」と複数形になっています。

つまり、このタイトルは、エステラが与えられるかもしれないという期待と、遺産相続に対する期待という、二つの期待がピップの心にあることを暗示しているのです。

主人公のピップは、決して恵まれた人生を歩んできたわけではありません。そんなピップの前半生は、ディケンズ自身の少年時代の経験をもとに書かれているため、『大いなる遺産』は半自伝的小説だといわれています。

ディケンズの父ジョンは、海軍経理局に勤める下級官吏でしたが、お金にルーズで借金を重ねたあげくディケンズが十二歳のときに家は破産、父親は債務者監獄に投獄され、デ

ケント州の邸宅の書斎での様子。ディケンズの死後描かれたもの

ィケンズは一人で働きながら生きていくことになります。

学校にもまともに通えなかったディケンズは、靴墨工場で働きますが、ここでの過酷な労働と仕打ちは、彼の心に深い傷を残し、作家として成功した後も、生涯貧しい人々の生活に同情の目を向け、そうした人々を主人公とした作品を書き続けたのも、このときの経験が影響しているのではないでしょうか。

バルザックの項でも触れましたが、当時の富裕層と貧困層は固定化されていました。女性であれば結婚によって富裕層に食い込むことも可能でしたが、『大いなる遺産』の主人公は男性なので、一発逆転の可能性は、遺産でも転がり込んでこないかぎりありませんでした。とはいえ、ディケンズは個人の努力を否定したわけではありません（この意味は、最後まで読むとわかります）。

心に「二つの期待」を抱いているピップが、さまざまな謎が解け、真実が見えてきたときにどのような道を選択していくのか。これは、ディケンズ自らが苦難の多い人生から学んできたことの答えなのかもしれません。

イギリスの世相変化を反映したディケンズの作品

ディケンズが活躍したのは、ヴィクトリア朝と呼ばれる時代です。ヴィクトリア女王が統治したこの時代は、一般的には、イギリスが産業革命によって経済的発展を遂げた絶頂期といわれています。しかし、ディケンズの作品を見ていくと、華やかに見えるヴィクトリア朝の微妙な盛衰が見えてきます。

たとえば、一八三七年から一八三九年にかけて書かれた『オリバー・ツイスト』には、孤児のオリバーが、救貧院で「お粥をもう一杯ください」と言うシーンがあります。この台詞の背景には、当時イギリスで救貧法が改正され、貧しい人たちを援助する資金がカットされたという現実があります。

つまり、「お粥をもう一杯」という台詞には、削られて足りなくなった分を与えてほしいというメッセージが込められているのです。

ここからわかるのは、イギリスの経済的な発展の陰で、工場労働力を担い、貧しく悲惨な生活を強いられた人々が数多くいたということです。そして、幼い頃のディケンズは、まさにこの陰で生きていたのです。

しかし、そうした社会批判をしながらも、『オリバー・ツイスト』は、明るい結末を迎えています。

また、一八四九年から一八五〇年にかけて書かれた『デイヴィッド・コパフィールド』という作品でも、貧しい孤児が波乱万丈の末成功し、最後はハッピーエンドを迎えています。

しかし、一八六〇年から一八六一年にかけて書かれた『大いなる遺産』の結末は、ハッピーエンドとはいえません。

ディケンズがこうした結末を選んだのは、ヨーロッパ各地で産業革命が進み、イギリスの国力に少し陰りが見え始めていたことと無関係ではないでしょう。

ディケンズの作品が、こうした世相の微妙な変化を反映しているのは、やはり彼が常に読者を意識した作品作りをしていたためだと思います。

14/20

戦争と平和

トルストイ

Lev Nikolaevich Tolstoi（1828〜1910）。ロシアの小説家・思想家。ドストエフスキーとともに、19世紀のロシア文学を代表する巨匠。『アンナ・カレーニナ』『復活』などの代表作のほか、宗教論文や『イワンのばか』をはじめとする民話集なども著した。非暴力主義者としても知られる。

若い人々から、何を読んだらいいかと訊(たず)ねられると、僕はいつもトルストイを読み給えと答える。すると必ずその他には何を読んだらいいかと言われる。他に何にも読む必要はない、だまされたと思って「戦争と平和」を読み給えと僕は答える。だが嘗(かつ)て僕の忠告を実行してくれた人がない。実に悲しむべきことである。あんまり本が多過ぎる、だからこそトルストイを、トルストイだけを読み給え。

小林秀雄(1902〜1983)
「トルストイを読み給え」より

八一二年のナポレオン軍によるロシア侵攻の前後を叙事詩的に描いた長編で、「近代の『イリアス』」とも称された。有名無名の歴史上の人物から、架空の民衆まで、類を見ないほど多種多様な人物が登場し、史実と創作による舞台を縦横無尽に交錯する。偉大な小説家からすれば、歴史を動かすのは英雄でも傑物でもなく、名もなき民衆それぞれの生活なのだ。

「あらゆる小説の中でもっとも偉大な作品」

『戦争と平和』は、あらゆる小説の中でもっとも偉大な作品である。

こう述べたのは、『世界の十大小説』の著者モームでした。

確かに『戦争と平和』は、「ナポレオン戦争」(一七九六～一八一五)という歴史的転換点を舞台に、大きなストーリーが展開していくだけでなく、社会の細部までもを見事に描いた素晴らしい作品です。

たとえば、岩波文庫では、全六巻というこの長編小説に登場する人物の総数は五五九人。ロシアの貴族社会の人たちを中心に、使用人や農民、兵士など、とても一度読んだぐらいでは覚えきれないほど多くの人が登場します。彼ら一人ひとりが、実に生き生きとしたキャラクターとして描かれているのですから、トルストイの筆力たるや、やはり尋常ではありません。

十九世紀のロシア文学を代表する文豪として名高いトルストイですが、彼は作家業に専念していたわけではありません。

なぜならレフ・ニコラエヴィチ・トルストイ（一八二八～一九一〇）は、由緒ある家柄の伯爵家の四男だったからです。

トルストイは、十歳になる前に両親をなくしましたが、兄の庇護のもと初めは家庭教師に学び、十六歳のときにカザン大学で東洋学と法学を学び、その後ペテルブルグ大学に行くのですが、学生時代のトルストイは、当時の貴族の子弟の多くがそうだったように、社交界で上流階級の遊びにふけり、あまり真面目に勉強してはいなかったようです。

トルストイが小説を書き始めたのは、二十二歳の頃とされていますが、二十三歳のときにコーカサスで砲兵隊に入っていた兄ニコライが一時帰省したのを機に、自分もコーカサスの砲兵隊に入隊しています。

その後、クリミア戦争（一八五三～五六）に従軍し、勇敢に戦ったことで中尉に昇進しますが、ロシアがクリミア戦争に敗れたのを機に、領地のヤースナヤ・ポリャーナに戻り、農地経営の傍ら小説を執筆するようになっていきます。

しかし、ここでもトルストイは執筆に専念するよりは、領地経営にかなりの精力を傾けています。

当時ロシアは、自由主義の気運が高まりを見せており、多くの農奴を所有する貴族にとって、農奴解放が差し迫った問題となっていました。そうしたなかでトルストイは、いち早く自領の農奴解放を試みたり、農民の子供たちのために学校を設立したりと、この問題に熱心に取り組んでいるのです。

一八六一年にアレクサンドル二世（在位一八五五～一八八一）によって農奴解放令が布告された際には、地主と農奴の折衝を担う農事調停官に就いていますが、農奴側に立つことの多かったトルストイに地主から反発の声があがり、翌年には退職、彼が情熱を注いだ農民の子供たちのための学校も閉鎖に追い込まれてしまいます。

トルストイが『戦争と平和』を書いたのは、それから数年後の、一八六五年から六九年にかけてのことでした。

冒頭のシーンの台詞がフランス語で書かれたわけ

『モスクワ川の戦い』ルイ=フランソワ・ルジュンヌ作（ヴェルサイユ宮殿美術館蔵）

『戦争と平和』は、ヨーロッパの封建制社会を崩壊させた「ナポレオン戦争」を背景に、ボルコンスキー公爵家、ベズーホフ伯爵家、ロストフ伯爵家という貴族三家の人々が絡み合う人生を中心に話が展開します。

ナポレオン戦争は当初、フランス革命に対する諸外国の干渉に対抗するための防衛戦争として始まりましたが、ナポレオンの台頭によって、その趣旨は「革命の防衛」から「革命理念の拡大」へと変化していきました。

ナポレオン軍の侵攻に対し、イギリスを中心としたヨーロッパ諸国は、「対仏大同盟」を結び抵抗しましたが、その勢いは止まらず、ロシアは一八〇五年のアウステルリッツの戦い（三帝会戦）で、続いて一八一二年のボロディノの戦い（モスクワ川の戦い）で、ナポレオン軍と直接戦うことになります。

『戦争と平和』は、この二つの戦いの前後に位置する「戦争」と「平和」の日々を、ロシア貴族たちの生活を通して実にていねいに描いています。

たとえば、物語は、ロシア皇帝アレクサンドル一世の母の側近であるアンナの自宅で開かれたイブニング・パーティーのシーンから始まりますが、このワンシーンだけでもこの小説が非常に面白いことがわかるのです。

実は、翻訳版だとわかりにくいのですが、原書で読むと、このシーンは台詞のほとんどがフランス語で書かれています。

ロシア文学の名著とされる『戦争と平和』になぜフランス語の台詞が？　実は、当時のロシア貴族は日常的にフランス語を使っていたからなのです。

ロシア貴族たちがフランス語を使うようになったきっかけは、ロシアをヨーロッパ的大国にしたいと考えた、ピョートル大帝（在位一六八二〜一七二五）の政策でした。当時、ヨーロッパに君臨していたのがフランスでした。その結果、フランス語がヨーロッパの国際言語と化していたため、ロシアでも政策としてフランス語の使用が推し進められたというわけです。

しかし、ナポレオン戦争によって、ロシア国内でのフランス語の使用は徐々にすたれていくことになるのですから、『戦争と平和』に描かれた社交界でのこうした風景は、まさにこの時代を象徴する事象の一つといえるのです。

こうしたこと一つを見ても、『戦争と平和』が、歴史的な風俗までもを忠実に描いた作品であることがおわかりいただけるでしょう。

物語の中心を担う三人の若き貴族たち

物語は、一八〇五年から始まります。

皇帝に即位したナポレオンが軍を率い、東方に侵略を始め、対仏同盟を結んでいたことから、ロシア皇帝アレクサンドル一世（在位一八〇一～一八二五）が同盟国オーストリア帝国を助けるために宣戦布告の勅命を下します。これによって若いロシア貴族たちは、戦争に参加することになります。

『戦争と平和』には、明確な主人公といえる人物はいません。

強いて挙げるなら、モスクワ屈指の資産家ベズーホフ伯爵家の跡継ぎ、ピエールがその役といえるでしょう。

ピエールは、もともとベズーホフ伯爵家の跡を継ぐことが約束されていた人物ではありません。なぜなら、ピエールは非嫡出子だったからです。十歳の頃に家庭教師の神父とともに外国に出されていたピエールですが、父であるベズーホフ伯爵の死が目前に迫ったことで本国に呼び戻され、その莫大な遺産を受け継ぎます。

こうして伯爵の息子ではあるけれど、それまで豊かでもなく、他の貴族たちから見向きもされなかったピエールは、一夜にしてロシア貴族の中でも屈指の大金持ちとして社交界の注目を浴びることになりました。

そんなピエールの唯一の親友といえる人物が、ポルコンスキー公爵家の長男、アンドレイでした。

アンドレイの父ポルコンスキー公爵は、かつては政治活動に熱心に参加し前皇帝の重臣をしていたやり手でしたが、今は引退し、モスクワから少し離れた田舎で、家族とともに隠遁(いんとん)生活を送っていました。

父の隠居によって公爵の位を継いでいたアンドレイは、ロシアの宣戦布告によって従軍することになりますが、当時、彼にはリーザという身重の妻がいました。

これは古代ローマや中世でも同じですが、貴族は有事には戦士として戦いに参加することが暗黙の決まりとなっていました。もちろん貴族たちにとっても、戦士として国の戦いに参加することは、貴族の義務であり誇りであるという意識がありました。

つまり、当時の貴族たちは、徴兵されて仕方なくということではなく、貴族の務めとして、自ら誇りを持って戦争に参加したということです。

若き公爵アンドレイ・ポルコンスキーも、こうして身重の妻のリーザを領地に残し出征したのでした。

この戦争で、アンドレイとともに参戦したのが、ロストフ伯爵家の長男ニコライでした。

ロストフ伯爵は、裕福でお人好しな性格の貴族です。彼の家には妻と長男のニコライの他、長女のヴェーラ、末娘のナターシャという天真爛漫な娘と、ベーチャという弟、そして、両親を亡くしたソーニャという伯爵の姪にあたる娘がいました。このときまだ十二歳だったナターシャが、この物語全体の一種のヒロイン役を務めることになります。

それぞれに襲いかかる人生の試練

ピエール、アンドレイ、ニコライという三人の青年貴族とヒロイン、ナターシャは、この後、それぞれ異なるかたちで人生の試練に立ち向かうことになります。

ベズーホフ伯爵になったピエールは、ヴァシリー公爵の美しき娘エレンと結婚します。しかし、これはピエールの財産を狙った私利私欲の強いヴァシリー公爵の画策で、エレンはピエールを愛してもいなければ、貞淑な妻になる気もありませんでした。

戦場に出たアンドレイは、何の活躍もできないまま負傷し、敵の捕虜になってしまいます。そんなアンドレイがようやく自宅に帰り着いたのは、妻のリーザが出産している最中でした。リーザのお産は重く、彼女は夫が戻ってきたことすらわからないまま、男の子を産み落とすとともに亡くなってしまいます。

同じく戦場から戻ったニコライは、お互いに思い合っていたソーニャとの結婚を意識しますが、ソーニャに恋をした友人の恨みを買い、ニコライはロストフ家が破産するほど多額の借金を負わされてしまいます。

妻の不貞を確信したピエールは家を出て別居し、アンドレイは妻の死に自責の念を募らせ、ニコライは父親に頭を下げ借金を清算してもらうと、再び軍隊へ戻っていったのでした。

リーザの死後、鬱々とした日々を過ごしていたアンドレイですが、妻が残した息子ニコーレンカの領土の後見人になるため、地域の貴族団長をしていたロストフ伯爵の家を訪ねます、ここで彼が出会ったのが、生き生きと人生を謳歌する天真爛漫なナターシャでした。彼は彼女の姿に衝撃を受けると同時に、自分の人生にまだ未来が残されていることに気づきます。

そして、年末に開かれた皇帝も臨席する大きなダンスパーティーで、ピエールに促されてナターシャとダンスをしたアンドレイは、ますますナターシャへの思いを募らせていったのでした。ピエールは、そんな友人アンドレイとナターシャが惹かれ合う姿を見て、喜ぶとともに自らの不幸な結婚を嘆きます。

ナターシャとの結婚を決意したアンドレイでしたが、そのことを父ボルコンスキー公爵に伝えると、快い返事をもらえません。そして、結婚する前に一年間外国へ行くことを命じられてしまいます。

アンドレイは、ロストフ家にこのことを正直に告げた上で、ナターシャに結婚を申し込みます。ナターシャはこのプロポーズを受け入れますが、彼女がまだ若く、その若い身に一年という時間が長いことを知っていたアンドレイは、この婚約が彼女の自由を奪うものではないとナターシャに告げて旅立ちました。

ちょうどその頃、お人好しの父親のせいで、「お前が帰ってこなければ領地がすべて競売にかけられてしまう」という母からの悲痛な手紙を受けたニコライは、休暇をとって帰省します。

ロストフ伯爵は、出費のかさむ貴族団長を辞したものの、家計が持ち直す気配はありません。領地を失うことを恐れた伯爵夫人は、ニコライに資産家の娘と結婚してくれるようせがみます。しかしニコライはソーニャへの思いを断ち切れません。

ロストフ伯爵夫人は、世話になっておきながら息子を誘惑したとソーニャをなじり、病気になってしまいます。結局、経済的に立ちゆかなくなったロストフ家は、屋敷を手放すことになり、伯爵は病気の夫人とソーニャとナターシャとともにモスクワへ移ることになります。

モスクワでナターシャは、アンドレイのいないポルコンスキー公爵家を訪問しますが、冷たく扱われ傷つき涙を流します。

そんなナターシャの心の隙につけ込もうとしたのが、エレンの兄アナトーリーでした。アナトーリーは、エレン同様美しい青年でしたが、身持ちが悪い上、実は妻帯していたのに、そのことを隠してナターシャに近づいたのです。

アナトーリーの誘惑に負け二人で駆け落ちまで決意したナターシャの目を覚まさせたのは、義兄が妻帯していることを知っていたピエールでした。恋人の嘘を知ったナターシャは絶望し自殺を図ります。幸い一命をとりとめたナターシャは、アンドレイに結婚を断る手紙を書き、アンドレイは傷つきながらも、ピエールに「君は今までもこれからも自由だ。君の幸せを祈っている」というナターシャへの伝言を頼みます。

アンドレイの伝言を持って、ナターシャのもとを訪れたピエールは、苦しむ彼女を目の前にして、軽蔑していたはずのナターシャに憐れみといとおしさを感じ、彼女を支えることを心に決めます。

その帰り道、ピエールは空に長い尾をたなびかせる巨大な彗星を見ます。

時は一八一二年。

モスクワを壊滅状態に追い込むナポレオンのロシア遠征が、すでに目前に迫っていることを、自分たちの運命と闘うことで精一杯の彼らはまだ知りませんでした。


物語はこれでまだ半分です。この後、三人の青年貴族とナターシャはさらなる苦難に翻弄されていくことになります。

みなさんもご存じの通り、ナポレオンのロシア遠征は、戦闘には勝つものの、結果的には失敗に終わります。

一八一二年九月のボロディノの戦い(モスクワ川の戦い)を経て、モスクワへと入城したナポレオン軍ですが、ロシア側がナポレオン軍の侵攻に先立ち、街を焼き払いながら撤退したため、食糧の現地調達に苦しみ、さらに軍内に赤痢(せきり)が広がったことで、急激に士気を失っていきます。そして、苦しむナポレオン軍にとどめを刺したのが、「冬将軍」と呼ばれるロシアの冬の厳しい寒さでした。

戦争そのものには勝っていたはずなのに、最終的にロシアの冬将軍に負けて惨めな撤退を余儀なくされたナポレオン軍は、この後、まるで運に見放されたように負けが込んでいきます。

『戦争と平和』では、その再び訪れたロシアの平和を、あの運命の一八一二年から七年を経た登場人物の姿を「エピローグ」の中で描きます。

戦場に行ったアンドレイとニコライはどうなったのか。

戦場に行かずモスクワの街に残ったピエールはどうなったのか。

ヒロインのナターシャは、最終的に誰と平和を享受したのか。

ぜひ、ご自身で彼らの結末を確かめてください。

『戦争と平和』は近代の『イリアス』である

トルストイは、なぜ『戦争と平和』を書いたのでしょう。彼の思いを知る言葉が、エピローグの第二部に記されています。

（略）これはメモワールや各国史の編者から、当時の世界史や新しい種類の文化史にいたるまで、すべての歴史が与えている矛盾した、問いに答えていない答えを、もっともお手柔らかに示したものだ。

こうした答えの奇妙さ、滑稽さが生じるのは、新しい歴史が、だれもしていない質問に答える耳の遠い人に、似ているからである。

（『戦争と平和』6「エピローグ」第二部より／藤沼貴訳／岩波文庫）

トルストイの言う「新しい歴史」とは、当時の歴史学者たちのことです。

つまり、「今の歴史家たちは、誰も興味がなく、質問すらしないようなことを、ただ自分勝手に述べているにすぎない」と、批判した上で、「多くの人に読んでもらえる歴史というのは、こうやって書くのだ」という見本として書いた作品が、『戦争と平和』だということです。

そして、彼がその舞台としてナポレオン戦争を選んだのは、この戦争がロシアの国と人々に与えた影響がとても大きなものだったからでしょう。実際、ナポレオン遠征の際にロシアが受けた被害、特にモスクワの破壊のされ方は、当時のロシア人にとって、アメリカ人にとっての真珠湾攻撃以上のインパクトがあったと考えられます。

なぜロシアは首都破壊という悲劇に追い込まれてしまったのか、その悲劇に巻き込まれた当時の人々はどのような思いで何を経験したのか。そして、彼らはそこからどのようにして立ち直っていったのか。

トルストイはそうした人々の姿を綿密に描くことで、歴史を書き残し、伝えたいという思いがあったのではないでしょうか。

確かに『戦争と平和』は非常に優れた歴史小説です。登場人物一人ひとりが生き生きと描かれ、読者をその世界に引き込む力を持っています。しかし、どんなにリアリティが感じられても、これはあくまでも歴史を題材としたフィクションだということも知っておいていただきたいと思います。

フランスの作家ロマン・ロランは、学生時代に『戦争と平和』を読み、トルストイと文通までした人物です。彼は『トルストイの生涯』という著作の中で、『戦争と平和』は近代の『イリアス』だと述べています。

ローマ史を専門とする私にとって、この「近代の『イリアス』」というロマン・ロランの言葉ほど、トルストイの大作『戦争と平和』を表現するのにふさわしい言葉はないと思えるのです。

「理性と情念を分かちがたいもの」として描くロシア文学

また、これはあくまでも私見ですが、本書を書くにあたり、いくつかのロシア文学を読み直し感じたことがあります。

それは、「ロシア的なもの」とは、どのようなものか、ということです。

ロシアの一部は今も「東欧」と呼ばれるように、古くからロシアとヨーロッパは深い関わりを持っています。先に述べたように、十八世紀から十九世紀初頭にかけて、ロシアは西欧の文化を積極的に取り入れた時期もありました。

それでも、ロシアとヨーロッパには何か根本的な相違があることは、誰もが感じていると思います。

では、その「ロシア的なもの」とは何なのでしょう。

私は、ロシア文学を読むなかで、それは「人間の捉え方」だと感じました。

ロシアでは、西ヨーロッパ的な思想、啓蒙思想とか、理性と情念を分けるような考え方をするのではなく、理性と情念は分かちがたく混在する存在として、人間を捉えているということです。

次項でご紹介するドストエフスキーの『カラマーゾフの兄弟』に登場する長男のドミー

トリイなどがその典型ですが、彼は激情的で直情的な人物ですが、同時にどこか優しさも持ち合わせた人物です。

おそらくドストエフスキーは、ドミートリイのような人物こそが典型的なロシア人だと感じていたのだと思います。

『戦争と平和』に登場するピエールは、よくトルストイの分身だと評されますが、彼もまた一つの類型に収まるキャラクターではありません。臆病かと思えば大胆で、卑屈かと思えば傲慢で、冷たさと限りない優しさが、一人の中に同居しています。


でも本来、人とはそういうものなのではないでしょうか。

西欧の人々は、理性と情念を分けて考えてきました。

カントもヘーゲルもデカルトも、そういう意味ではいかにも理性的なことを述べています。しかし、見方を変えれば、内在する情念の発露をどのように考えればいいのか、抑えようとしても抑えられないものを一生懸命に理性の力で解き明かそうとしていたとも受け取れます。

そういう意味ではロシア人は、初めから情念に抗わず、理性も情念も自らの一部であることを受け入れていたといえるのかもしれません。

その理性も情念も渾然一体としたところが、「ロシア的なもの」の正体であり、ロシア文学の魅力なのだと私は思うのですが、皆様はどのように考えますか。

15/20

カラマーゾフの兄弟

ドストエフスキー

Fyodor Mikhaylovich Dostoevskiy（1821～1881）。ロシアの小説家。医師の次男として生まれ、軍職に就くが1年足らずで退職して文学に専念する。処女作『貧しき人々』で作家としての地位を確立するも、社会主義活動で逮捕され、シベリアに流刑される。帰還後、『罪と罰』『白痴』などの大作を発表した。

僕はかつて「世の中には二種類の人間がいる。『カラマーゾフの兄弟』を読破したことのある人と、読破したことのない人だ」と、神をも恐れず断言したことがある

村上春樹(1949〜)
『ペット・サウンズ』「訳者あとがき」より

ドストエフスキー最後の長編で、人類が手にした最高級の小説。実は著者は、冒頭で続編を宣言している。日本でも一〇〇万部以上など、空間・時間を超えた大ベストセラー。十九世紀中期、混乱期のロシアを舞台に、父とその三人の息子らが愛憎劇を繰り広げる。「父親殺し」を主題に、家族・宗教・欲望・罪悪など様々なテーマを盛り込み、人間性の本質を暴き出した。

幻に終わった『カラマーゾフの兄弟』第二部

『カラマーゾフの兄弟』は、私にとってナンバーワンに位置する文学作品です。ただ、これほど強烈な印象を受けたのは、この作品を読んだのが、私がまだ十代の青年だったからかもしれません。

小説家の辻原登さんが、「ドストエフスキーには毒がある。あの毒にやられるには、大人になってからでは遅すぎで、十代の時に読まないとあの毒にはやられない」というようなことをおっしゃっていた記憶があります。そういう意味では、私もドストエフスキーの毒にやられた一人なのかもしれません。

フョードル・ドストエフスキー（一八二一〜一八八一）が『カラマーゾフの兄弟』を書いたのは、一八七九年から一八八〇年にかけて、つまり、これはドストエフスキーがその人生の最後に書き上げた長編小説なのです。

『カラマーゾフの兄弟』は、四部構成全一二編からなる長大なものです。内容も素晴らしく、彼の作家人生の集大成といってもよいでしょう。

しかし、彼はこの小説を最後の小説にするつもりはありませんでした。

事実、ドストエフスキーは、本編に先立つ「作者の言葉」の中で、この小説が彼の構想の中では、二部構成の第一部にすぎないことを明かしています。

> （略）だが、困ったことに、伝記は一つだが、小説は二つあるのだ。重要な小説は二番目のほうで、これは、すでに現代になってからの、それもまさに現在のこの瞬間における、わが主人公の行動である。第一の小説はすでに十三年前の出来事で、これはほとんど小説でさえなく、わが主人公の青春前期の一時期にすぎない。（略）
>
> （『カラマーゾフの兄弟』上／原卓也 訳／新潮文庫）

世界が認める名著にして、私が世界文学のナンバーワンとした小説が、作者にとって「ほとんど小説でさえない」と断じられていることは驚きですが、ドストエフスキーとしてはそれだけ第二部に強い思い入れと自信を持っていたのでしょう。

しかし、残念ながらドストエフスキーは、第二部を書く前に五十九歳で亡くなってしまいます。

この「作者の言葉」には、物語の時代設定が、第二部を「現在（当時のリアルタイムである一八八〇年）」とした上で、第一部はその十三年前の出来事としていますから、一八六〇年代後半ということになります。

この時代のロシアはどのような時代だったのかというと、一八六一年のアレクサンドル二世の「農奴解放令」によって、法的には農奴は自由な立場になっていましたが、実際には、領主と農奴の関係は主従関係のような形で残っていました。

また、この小説では裁判における陪審制度が重要な役割を果たすことになりますが、司法制度改革によって陪審制度が導入されたのは、農奴解放令とほぼ同時期の一八六四年のことでした。

つまり、『カラマーゾフの兄弟』は、ロシアという国が、クリミア戦争後の大改革によって大きく変化した直後の時代を舞台としているのです。それは、どのような時代だったのかというと、社会には拝金主義と犯罪が広がり、その反動として革命の気運が芽生えつつあった時代でした。

カラマーゾフ家を通じて描かれた、ロシアの縮図

この物語は、カラマーゾフ家の父と息子たちの間で繰り広げられるある種の愛憎劇といえるものです。

「作者の言葉」の中で、ドストエフスキー自身は、この小説の主人公は、カラマーゾフ家の三男アレクセイ・フョードロウィチ（アリョーシャ）だと述べています。しかし、それは第二部まで完成した暁のことで、第一部となる『カラマーゾフの兄弟』では、彼に焦点が当てられることはそれほど多くありません。

そういう意味では、『カラマーゾフの兄弟』の主人公は、タイトル通り、「カラマーゾフ家の兄弟たち」だといえるでしょう。

この一家の姓である「カラマーゾフ」とは、ロシア語で「黒く塗られた者たち」という意味です。

この名前からわかるのは、ドストエフスキーにとって、この物語の登場人物たちはみ

な、「罪人（つみびと）」として描かれているということです。

ただし、ここでいう「罪人」とは、いわゆる犯罪者ということだけではありません。何らかの劣等感とか、傲慢さとか、そうしたものに精神的な苦しみを感じている人々、つまり宗教的な意味での「罪人」をも暗示しているのです。宗教的な意味では、キリスト教世界では、人はもともと原罪を背負った罪人なので、「人間という罪深き存在」が織り成す物語といってもいいかもしれません。

カラマーゾフ家の人々は、一人ひとりキャラクターがまったく違います。

父親フョードル・カラマーゾフは、一代で財を成したやり手の地主です。年齢は五十五歳。当時としてはかなりの高齢者ですが、金にがめつく、この歳になっても好色さを隠そうともしない非常に淫蕩（いんとう）な男です。

フョードルには、別々に暮らす三人の息子がいました。

長男ドミートリイ（愛称ミーチャ）は、フョードルと最初の妻アデライーダとの間にできた子供で二十八歳。直情的な性格で乱暴者の彼は、父と離婚した母が、自分に残してくれた遺産を父が横取りしたとして、父親を憎んでいました。しかし、父親を憎む理由はそれだけではありませんでした。実はドミートリイが愛するグルーシェニカという二十四歳の非常に魅惑的な女性をめぐって、二人は争っていたのです。

ドミートリイにしてみれば、フョードルは、自分が受け取るべき財産をねこばばした上、自分が愛するグルーシェニカにまで手を出したということになります。お金も女性も、本来なら自分が手にするべきものを、という恨みからドミートリイは「親父を殺してやる」と普段から、誰彼かまわず言ってしまうようなちょっと軽率な男です。

次男イワンは、フョードルと後妻のソフィヤの間に生まれた子で二十四歳。彼は非常に頭が良く理性的なのですが、なんとなく陰鬱な感じを醸し出す人物です。さらに彼は、無神論者でもありました。何事も冷徹に分析するイワンですが、自己隠蔽の気質があり、本当は父親のことを子供の頃からひどく嫌っていたのに、それを認めようとはしません。

三男アレクセイ（愛称アリョーシャ）二十歳は、カラマーゾフ家の中では最も誠実で善良な人物です。同母兄イワンはもちろん、異母兄ドミートリイの話も一生懸命に聞き、相手を理解しようと努めます。とはいえ、彼は相手の言うことを何でも鵜呑(うの)みにするような間の抜けた善人ではなく、話を聞いた上で的確な判断ができる知性も備えていました。そんなアリョーシャは信心深く、修道院で長老ゾシマ師のもとで学んでいました。

フョードルの正式な息子はこの三人ですが、実はもう一人、淫蕩なフョードルが酔った勢いで乞食女を手込めにして産ませた私生児がいました。名はスメルジャコフといい、カラマーゾフ家で料理人として働いていました。非常にずる賢い人物で、年齢がイワンと同

カラマーゾフ家の人物の特徴

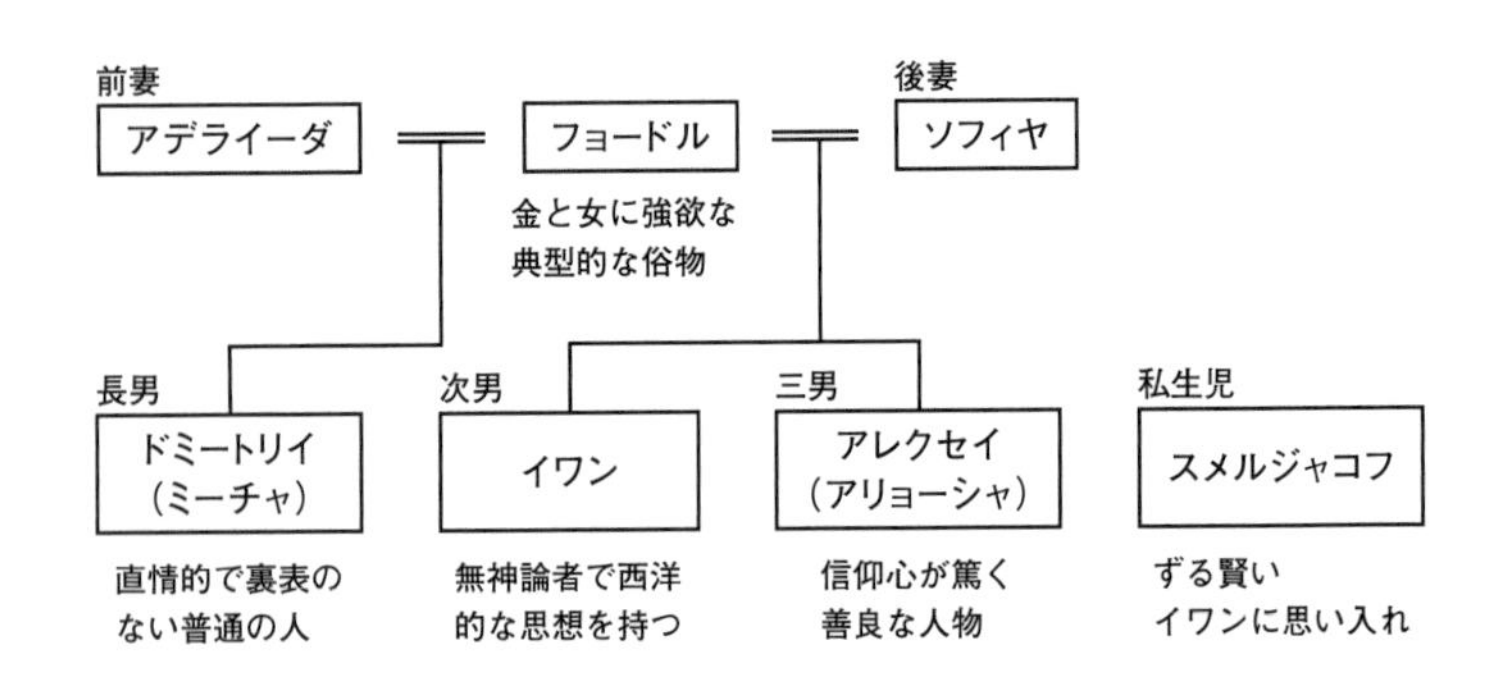

じだったせいか、イワンに対して特別な思い入れがあり、彼に自分のことを一生懸命アピールし、彼に認められようとします。

十代で読んだときにはわかりませんでしたが、今にして思うと、ドストエフスキーは、こうした個性に富んだカラマーゾフ家の人々を、ときには議論させ、ときには争わせ、ときには愛情を示させることで、ロシア社会を描こうとしていたのかもしれません。

金と女に強欲なフョードルは、拝金主義が広がる当時のロシアの典型的な俗物。

ドミートリイは、ロシア人にありがちな、直情的で自己コントロール能力は低いけれど裏表のない、どちらかというと普通の人です。

イワンは、当時ロシアに流入していた西洋的な思想を持った人間。

アリョーシャは、ロシア正教会が説く神を素直に信仰し、善い行いをしようと心がけている善良なロシア人。

つまり、カラマーゾフ家の人々が織り成すこの物語は、当時のロシア社会の縮図と見ることができる、ということです。

「父親殺し」が軸となり、物語が展開される

物語は、登場人物つまりカラマーゾフ家の人々の紹介をしたあと、「場違いな会合」から始まります。

それぞれ別の場所で暮らしているカラマーゾフ家の人々が、フョードルの呼びかけで集められたのは、町はずれの修道院にあるゾシマ長老の部屋でした。なぜこの場所を選んだのかというと、仲がいいとはいえない家族が抱える問題について話し合うにあたり、アリョーシャの師であり、長老としてみんなに尊敬されているゾシマ師を間に挟むことで、問題解決を図ろうと考えたからでした。

問題は大きく二つ。一つはドミートリイが相続すべき財産をフョードルが横取りしたのではないかという疑惑、もう一つは、フョードルが再婚すると言い出したことでした。こ

の再婚話、何が問題なのかというと、前述のとおり相手の女性グルーシェニカは、ドミートリイが思いを寄せ、一緒になりたいと思っていた女性だったからです。

でも、ドミートリイにも問題はありました。それは、カテリーナという金持ちの婚約者がいたからです。しかも彼は、カテリーナがモスクワに送金しようとしていた三〇〇〇ルーブルを横取りし、グルーシェニカとの豪遊に使ってしまっていたのです。

ドミートリイとしては、カテリーナにお金を返してから、愛するグルーシェニカと新生活を始めたいと思っていました。

結局、話し合いはまとまるどころか、険悪さを増して終わります。

ドミートリイは何とかしてお金を工面しようと奔走しますが、誰も貸してくれません。いらだつドミートリイは、酒場で父の悪口を言い、「殺してやる」と息巻くのでした。

そしてついに、ドミートリイは、父の金を盗もうと、フョードルの家に忍び込みます。しかし、年老いた下男のグリゴーリイに見咎められ、カッときたドミートリイは、下男を殴り倒すと、そのままグルーシェニカのもとへ行き、カテリーナから横領したお金の残りで豪遊してしまいます。

翌朝、ドミートリイのもとに警官がやってきます。てっきり殴り倒した下男のことだと思ってうろたえるドミートリイは、意外な容疑で逮捕されてしまいます。

彼の容疑は、フョードル殺害、つまり「父親殺し」だったのです。状況証拠も周囲の人々の証言も、すべてはドミートリイにとって不利なものばかりでした。

逮捕された当初、ドミートリイは当然ながら自分の無実を訴えます。

しかし、一つの夢を見たことを機に、彼は自分の犯した罪を理解し、自分の身にどのような判決が下ることになるのか、神に運命を委ねることを決めるのでした。

（略）最後にきいてください。父親の血に関しては、僕は無実なんだ！　それでも刑を受け入れるのは、僕が父を殺したからじゃなく、父を殺したいと思い、また、へたをすると本当に殺しかねなかったからなんです……（略）

（『カラマーゾフの兄弟』中／原卓也 訳／新潮文庫）

イワンの葛藤と証言、ドミートリイの有罪判決

弟イワンも、父の死は兄の犯行によるものだと考えていました。なぜなら、カテリーナから「父を殺す」と書かれた兄の手紙を見せられていたからです。

それでもアリョーシャだけは兄を信じ、スメルジャコフが怪しいと考えていました。

そんなとき、スメルジャコフがイワンに衝撃の告白をします。

フョードルを殺し、彼の金を奪ったのは自分だと告白し、盗んだ金まで見せたのです。驚くイワンに、スメルジャコフは、自分はあなたが望んだことを、あなたのためにやったのだと言います。

これはある意味真実でしたが、イワンは自分の中に父に対する殺意があったことを決して認めようとはせず、スメルジャコフを責め、兄の無実を証すため、裁判で真実を証言するよう詰め寄ります。

しかし、スメルジャコフの証言は、彼の自殺によって永遠に得られなくなります。真犯人スメルジャコフの死によって、ドミートリイの無実を明かすことができるのは、もはや自分しかいないことにイワンは苦しみます。

苦しんだ末に、イワンはスメルジャコフが父から盗んだ三〇〇〇ルーブルを証拠に、真実を告白します。兄は無実で、真犯人はスメルジャコフであること。さらに、そのスメルジャコフをそそのかしたのは自分自身であることまで告白したのです。

ところが、意外な人物が、ドミートリイが真犯人である証拠を提出します。

ドミートリイの婚約者カテリーナが、「父を殺す」と書いたドミートリイの手紙を証拠として提出し、これによりイワンの証言は兄を救おうと画策したもので、真犯人はやはりドミートリイだという陪審員の評決が下ります。

ドミートリイは有罪、二十年のシベリア流刑が言い渡されたのです。

「大審問官」の挿話にドストエフスキーの思想が色濃く表れている

全体を貫くストーリーは、こうしてドミートリイが有罪になって終わるのですが、『カラマーゾフの兄弟』の真価は、そこにいたるまでの、登場人物の微妙な心理的駆け引きにあります。それはまさに圧巻です。

フョードルとドミートリイの愛憎、イワンとスメルジャコフとの心理的関係、イワンが悩み苦しみながら最終的には真実を語る心情、そして、それを覆す婚約者カテリーナの思い。

他にもあらすじでは触れていませんが、老師ゾシマの死に直面したときのアリョーシャの葛藤や、ドミートリイに乱暴をされたスネギリョフという男の息子イリューシャとその友人たちとアリョーシャの心の交流など、優れたサイドストーリーがいくつも盛り込まれています。

なかでも無神論者のイワンと、修道院で修行しているアリョーシャが、神の存在について討論する場で登場する「大審問官」は、読む人に強烈なインパクトを与える挿話です。

イワンはなぜ無神論者なのでしょう。それは彼が目にする現実が、とても神が実在するとは信じがたいほど残酷なものだからです。イワンは、世界がいかに残酷か、罪なき子供が残虐に殺された実例を次々と挙げ、アリョーシャにお前はこれでも神がいると信じられるのかと問います。

それでも神を信じるというアリョーシャにイワンが語ったのが、「大審問官」という、イワンが創作した叙事詩でした。

物語の舞台は十六世紀のスペインはセビーリャ。異端審問によって多くの人が火あぶりにされた時代です。そこで多くの異端者を毎日のように火あぶりに処している大審問官の前に、イエス・キリストと思われる人物が現れます。

大審問官は、その人物がイエスであることを知りながら言い放ちます。

（略）お前の言うことくらい、わかりすぎるほどわかっておるわ。そのうえお前には、もう昔言ったことに何一つ付け加える権利はないのだ。なぜわれわれの邪魔をしにきた？（略）

（『カラマーゾフの兄弟』上／原卓也 訳／新潮文庫）

そして、明日はお前を火あぶりにしてやると言い、自分の言い分をすべて言い切った大審問官は、イエスの返事を待ちます。

するとイエスは何も言わず、その老いた大審問官の唇にそっとキスをしたのです。

大審問官はうろたえ、「出て行け、もう二度と来るなよ……」といってその男を追い払うのでした。

ドストエフスキーは、この挿話で何を伝えようとしたのでしょう。

当時ロシアでは、社会主義思想の影響を受けた青年・学生などのインテリ層によって、「ナロードニキ運動」と呼ばれる、ミール（農村共同体）を基盤とした革命思想が広がりを見せていました。

その背景にあったのが、法的には解放されても、苦しい生活から解放されることのない農民たちの苦しい現実でした。「ナロード」というのは、皇帝支配を倒し理想的な社会主義を実現させようと考えたインテリ層が、「ヴ＝ナロード」（「人民の中へ」の意）という言葉を合言葉にしたことに由来しています。

つまり、インテリであるイワンの意見は、神の存在、教会のやり方を手厳しく風刺した、皇帝支配に対するアンチテーゼと見ることができると思います。

幻になった第二部で描こうとしていたもの

父親が殺され、無実の兄がその罪を背負って流刑地に行き、イワンは病に倒れます。第二部は、その後のアリョーシャの人生が綴られる予定でした。

ドストエフスキーは、一八八〇年の十一月に『カラマーゾフの兄弟』が完成し、いよいよ第二部に取り掛かろうとしていた一八八一年二月に亡くなってしまいましたが、第二部の構想については、簡単なメモが残されていました。

そのメモによると、アリョーシャはその後、誠実で善良なまま修道士になるのではなく、社会主義運動やナロードニキ運動へと心が傾いていき……、というストーリーを考えていたようです。

第二部では、アリョーシャ（アレクセイ）という人物を中心に、ロシアの民衆社会の実像を、もしかしたらトルストイが『戦争と平和』でやったようなやり方で、描き出そうとドストエフスキーは考えていたのかもしれません。

実は本書を書くにあたり、紹介する作品の中には、過去に読んだものも含め、新たに読た。

み直したものもありますが、この『カラマーゾフの兄弟』だけは、読み返せませんでし

二〇〇六年に刊行された、名古屋外国語大学の亀山郁夫先生の新訳版（光文社古典新訳文庫）が非常に読みやすくていいという評判を聞いたので、読んでみようかと思ったのですが、正直に言うと、十代のときに受けたインパクトがあまりにも強烈すぎて、その印象が変わるのが恐くて、どうしても読み返すことができなかったのです。

もしも、読み返して「あれ、こんなものだったのか」と思ったらどうしようと思うのも恐かったし、十代では、こんな人間には絶対になりたくないと思った汚らしいフョードルに、「ああ、自分にもこういうところがあるかもしれない」と感情移入したら……、という恐怖感もありました。

こんな告白をして何を言いたいのかというと、読書にも一期一会、その年齢のときにしかできないとっておきの読書経験もあるのだ、ということです。

16/20

夜明け前

島崎藤村

しまざきとうそん（1872〜1943）。明治の小説家、詩人。筑摩県馬籠村（後の長野県西筑摩郡神坂村、現・岐阜県中津川市馬籠）生まれ。『若菜集』など近代日本浪漫主義の詩人として活躍ののち、長編小説『破戒』によって自然主義文学の代表的作家になる。『東方の門』執筆中に大磯（神奈川県）の自宅で倒れ、71歳で逝去。

さいわいにも主人公の心の奥深いところに感応することができれば、『夜明け前』は、外面の激しさとは裏腹に、まさに『静の岩屋』ではないが、われわれの内勢力をたえずよびおこす、正真正銘の内面小説と謳うことさえも十分可能だろう。

篠田一士（1927〜1989）
『二十世紀の十大小説』より

国学思想に傾倒し、自由獲得のために奮闘する主人公・青山半蔵。やがて訪れた新たな時代が彼にもたらしたのは大きな失望と狂気だった。中山道(なかせん)、木曽馬籠(まごめ)を舞台に明治維新前後の動乱の時代の流れをこと細かに描ききったこの作品は、近代歴史文学の最高峰ともいわれる。作者とは対照的な生き方を選んだ父をモデルに、無力な人間のいきざまと「夜明け前」の時代を執拗なまでに凝視している。

国文学者が絶賛する名作

私が日本の文学作品の中で、本書に唯一取り上げたいと思ったのが、島崎藤村（一八七二～一九四三）最後の長編小説『夜明け前』です。

この作品は、タイトルと、「木曾路(きそじ)はすべて山の中である」という出だしはとても有名なのですが、残念ながら実際に最後まできちんと読んだ人は多くないようです。もちろん、国文学を学んでいる人や、日本の古典に親しまれている方は、読んでいると思いますが、少なくとも私が周囲の人々に聞いた限りでは、ほとんどの人が読み通していませんでした。

素晴らしい作品なのに、なぜあまり読まれていないのでしょう。

その理由の一つが、この作品が持つ「暗さ」だと思います。

実は私も、大学生のときに最初に手に取ったのですが、頭の二〇ページで投げ出してしまった経験があります。

それでもずっと「いつか読んでみよう」という思いだけは持っていました。なぜなら、高校生の頃、友人のお父さんから、「島崎藤村の『夜明け前』は素晴らしいんだ」と聞いた経験があったからです。その方は、当時専修大学の国文学科の先生だったのですが、その「素晴らしいんだ」というひと言が、本当に心からの言葉だったのでしょう、とても強い印象を受け心に残っていたのです。

そうして、大学生のときに投げ出した『夜明け前』を再び手に取ったのが、五十歳になった頃でした。すると自分でも驚いたのですが、素晴らしく面白かったのです。

これが外国文学なら、翻訳による違いがあるかもしれませんが、日本語で書かれた作品ですから、そうした違いはありえません。まったく同じ作品を読んでいるのに、とてつもなく面白かったのです。

不思議に思って、当時、東京大学で国文学を教えていた小森陽一氏にこの話をしたところ、氏も『夜明け前』は素晴らしい作品だと絶賛したのです。

そのとき思い出したのが、先に紹介した『カラマーゾフの兄弟』です。ドストエフスキーは、十代で読むべきだといいましたが、島崎藤村の『夜明け前』は、それとは逆に、ある程度歳を重ねてから読んだほうが良さを理解できる作品なのかもしれません。

山深くも情報が飛び交う木曽の宿場

『夜明け前』の舞台は幕末動乱期から明治にかけての馬籠宿。物語は、有名な書き出しから始まり、木曽路の情景、そして馬籠宿の様子が当時の習俗などを交えながら詳しく描かれていきます。

木曾路（きそじ）はすべて山の中である。あるところは岨（そば）づたいに行く崖（がけ）の道であり、あるところは数十間の深さに臨む木曾川の岸であり、あるところは山の尾をめぐる谷の入り口である。一筋の街道（かいどう）はこの深い森林地帯を貫いていた。

（『夜明け前』序の章　一／岩波文庫）

『夜明け前』の舞台の木曽十一宿

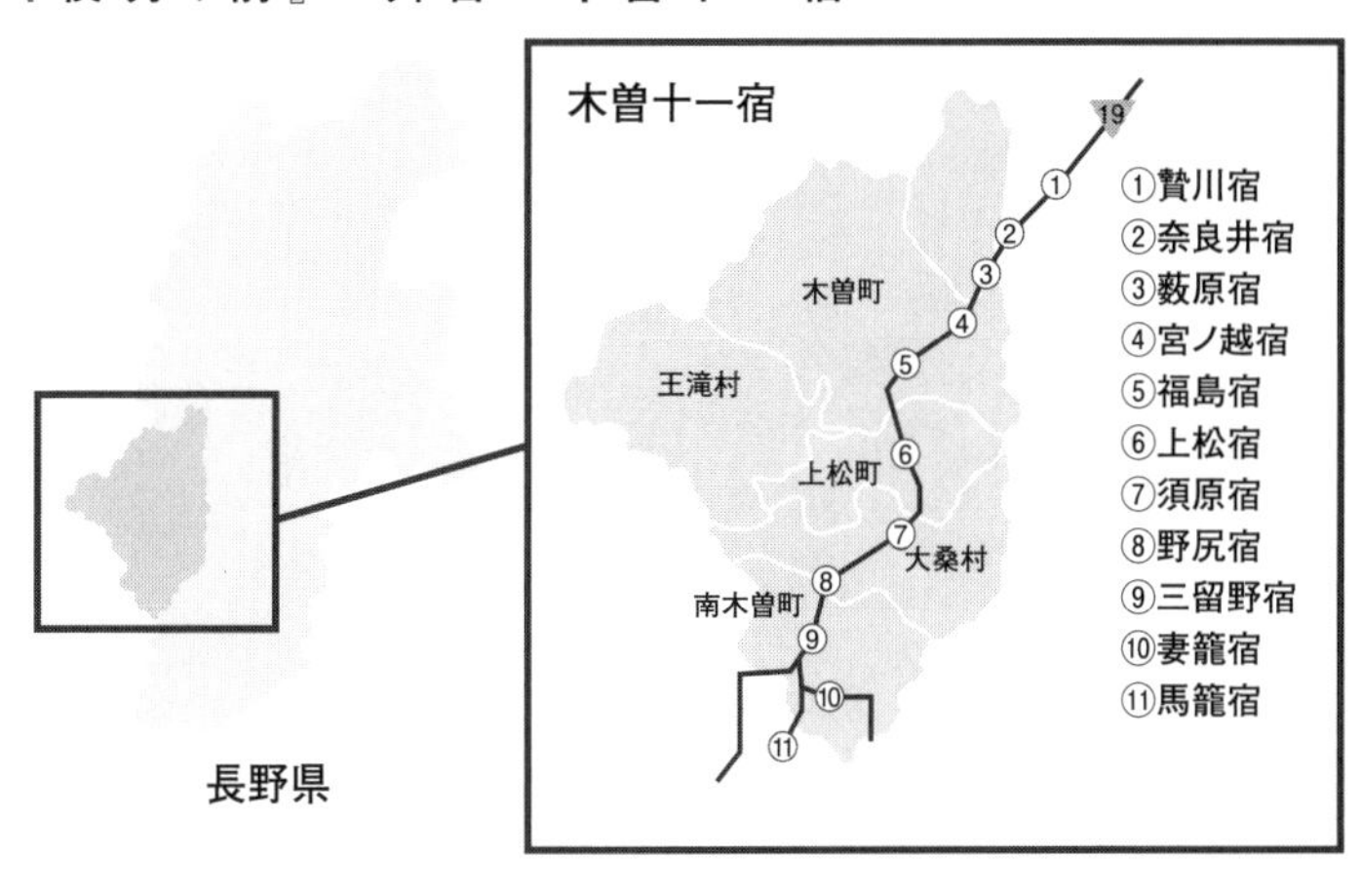

このあまりにも丁寧な描写が、学生時代に読んだときには冗長でつまらなく感じたのですが、大人になってから読むと、とても素晴らしいのです。

それは日本語としての美しさに加え、まるで自分が幕末期の馬籠宿を実際に歩いているかのごとく情景が脳裏に浮かぶ文章なのです。

中山道の宿場の中で四三番目に位置する馬籠宿は、木曽十一宿(じゅういっしゅく)の中では一番南に位置しています。木曽十一宿といわれていますが、正確には東隣の妻籠(つまご)までが信州木曽谷(きそだに)に属し、馬籠は美濃国(みののくに)に属していました。つまり、馬籠は信濃国と美濃国の県境に位置していたということです。

主人公は、その馬籠宿で代々、本陣、問

屋、庄屋を務める古い家柄である青山家の一七代目の当主、青山半蔵という人物です。
この青山半蔵は、島崎藤村の父・島崎正樹（一八三一〜一八八六）をモデルとしています。

事実、島崎藤村の祖先、相模国三浦半島発祥の三浦氏の一族、島崎重綱という人物は、十六世紀に木曽谷を治めた木曽義在に仕えたことで木曽に入り、その長男重通が馬籠宿を開拓しています。その重通以降、代々本陣、問屋、庄屋を務め、春樹（藤村）の父が一七代目であったということも、小説の内容と一致しています。

江戸と京都を結ぶ街道は、南の沿岸部を通る東海道と内陸部を通る中山道の二本、どちらも江戸時代の大動脈でした。

普段から、参勤交代、商用、早飛脚など多くの人が通行した中山道です、幕末ともなればより多くの人が行き交い、その度にさまざまな情報が入ってきました。そのため、山深き木曽の宿場であっても、ペリーの黒船来航はもちろん、外圧の前に幕府が弱腰外交をしていること、朝廷が攘夷を望んでいることなど、さまざまな噂話が馬籠の宿では常に飛び交っていました。

幼い頃から向学心が旺盛だった青山半蔵は、最初は父に習い、その後は書物を読みながら独学をし、十八、九歳になると馬籠には学ぶ師がいないことから、わざわざ三里あまり離れた中津川（美濃国）の宮川寛斎という医師のもとに通い、平田派の国学を学ぶようになります。学友もでき、半蔵は平田派の国学に傾倒していきます。

国学とは、江戸時代中期に興った学問で、仏教や儒教といった外国の学問が入ってくる以前の、日本古来の古典を研究することで、日本固有の文化や思想、宗教の復興を目指す学問です。平田派は、賀茂真淵、本居宣長らの国学の流れを受け継いだ、平田篤胤（一七七六〜一八四三）が開いた学派です。

平田派は身分を問わず大衆にも門戸を開いたことに加え、土俗的民族的な思想を包含していたことから、庶民にも多くの門弟がいたのです。また、外国伝来の学問を退け、かつての天皇親政を日本国のあるべき姿と説いたことから、幕末期になると尊王攘夷、王政復古という維新の志士の思想的支柱となっていきました。

青山半蔵も、古代の復興こそが人々にとって良い世の中を作り上げる唯一の道だと信じていました。江戸時代、宿場は、参勤交代や藩が御公儀のお役を命じられる度に「上納金」が求められました。幕末になり沿岸警備など御公儀の経費が膨らむと、「今こそ国恩を報ずべきときだ」と言って、馬籠宿にも度々「上納金」が求められるようになっていました。

それでも人々は黙って耐えてきました。

しかし、国学に傾倒していた半蔵は、木曽の山林を管理し、その使用を厳しく制限していた藩を批判していました。そんな半蔵でしたから、大政奉還により、願っていた王政復古が実際に実現したとき、これで古代のように木曽の人々が木曽の山林を自由に使うことができるようになることを期待しました。

誠実であまりにも良心的な半蔵

大政奉還によって徳川の御代は終わり、半蔵が望んでいた明治天皇の御代が始まります。しかし、蓋を開けてみると、自分が思い願っていたような世の中にはなりませんでした。

年貢も賦役(ふえき)も徳川時代以上に課せられたうえ、山林は国有化され、一切の伐採が禁じられてしまいます。

戸長(こちょう)を務める半蔵は、みんなの負担をできるだけ軽減させたいと奔走しますが、一向に報われません。ついに、戸長らを集めて新政府に対する抗議運動を起こしますが、逆に戸長を解任されてしまいます。

このシーンも藤村は、当時の社会の仕組みや人々の生活の様子、そこに根付く慣習といったものを細部まで実に克明に描き出しています。

作家・司馬遼太郎も、幕末から明治にかけての時代を舞台とした作品を数多く著していますが、彼の場合は、時代が移り変わってからかなりの時間が経って書かれていることもあり、藤村の作品の詳細な描写に見られるような緻密さは感じられません。

藤村の場合は、自分の父親の時代ですから、時代がかなり近いうえ、当時を知る人から聞くことはもちろん、自分自身が体験していたこともかなり多かったのだと思います。

戸長を解任された半蔵は、村の子供たちに読み書きを教える生活をしばらく続けますが、どうしても気持ちが収まらず、何とかして自分の学んだ国学を活かせないかと模索していきます。しかし、その試みは何から何まで上手くいきませんでした。

そして、挫折を繰り返した半蔵は、馬籠に戻り、また子供たちに読み書きを教える生活を送ることになります。半蔵は、無名ではあるけれど、誠実、果敢に一生懸命生きてきた田舎の知識人です。しかし、努力は報われず、彼が国学を学び抱いた理想は、現実とは乖離(かいり)したものであることを彼自身認めざるをえなくなります。

ここで半蔵が、「世の中とはこんなものだ、嘆いていても仕方がない」と気持ちを切り替える軽さを持っていれば良かったのでしょうが、彼はあまりにも真面目すぎました。若いときから勉強熱心で、ごまかしたりするところがなく、他者の幸せのために労を惜しまない。そんな、日本人の良い面とされる「誠実さ」「真面目さ」が、彼の場合は禍(わざわい)してしまいます。心を切り替えることができない半蔵は、失意のなかで次第に酒に溺れるようになっていきます。

そういう意味では、これは「性格悲劇」といえるものなのでしょう。半蔵があまりにも誠実で、あまりにも良心的であったが故に、彼の心は壊れていってしまいます。

歴史には残されない、理想を挫かれ、失意の人生を送った人々

あれほど望んでいた「ご維新」にもかかわらず、新政府になって以降、戸長を解任され、上京しても上手くいかず、馬籠宿で財を誇っていた青山家は家産を傾けていきます。親戚たちは、半蔵にその責を問い、彼を無理やり隠居所に別居させると、親戚間での金を融通することを禁じ、さらには酒に溺れる半蔵の酒量を制限しようとし、半蔵の心を逆(さか)撫(な)でしていきます。

また、自分の果たせなかった期待を託し、東京に遊学させていた四男・和助が、半蔵の思いに反し英学校へ進むことを希望したことは半蔵の心をさらに打ちのめしました。

理想を挫かれ、世間に裏切られ、親戚や家族からも冷たくされた半蔵は、精神を蝕まれ、ついには自分を襲おうとしている敵がいるという妄想にさいなまれます。そして、その妄想から、寺への放火未遂事件を起こします。

村人たちは、半蔵を狂人と断じ、彼は座敷牢に監禁されてしまうのでした。

座敷牢に入れられた当初は、静かに読書に励んでいた半蔵でしたが、次第に衰弱していき、精神も壊れ、最後には自分の排泄物を人に投げつけるような廃人となってしまいます。

そして半蔵は、座敷牢から出ることがないまま、病み倒れ、亡くなります。

享年五十六。

時に明治は十九年目を迎えていました。

明治十九（一八八六）年頃というと、明治憲法の発布が明治二十二年ですから、ほぼ草稿ができあがっていた時期でしょう。つまり、日本が近代国家としての体裁を整えつつあった時期といえます。

幕末に多くの志士の心を捉えた国学は、明治の声を聞いた途端に顧みられなくなり、新政府は一気に西洋化へ舵を切っていきます。

これは歴史を知っている今の私たちにとっては、不可避な流れのように見えますが、あの時代を生きていた人々にとっては、必ずしもそうではありませんでした。半蔵の失望も、理想と現実の矛盾にあったことは間違いありません。

そして、おそらく半蔵の身に起きた悲劇は、半蔵ひとりのものではなかったのだと思います。彼と同じように理想に燃え、やりたいこともたくさんあったのに、社会は自分の理想とかけ離れたところにあり、すべてが思い通りにいかないまま、半蔵のように狂死しないまでも、失意の人生を送った人は、歴史に刻まれることはなくとも数多く存在したと思います。

武士であれば、西南戦争のような形で反乱を起こすこともできましたが、武士ならぬ庶民にはそれすらできませんでした。そういう意味では、この時期最も苦しんだのは、幕末に庶民の中で教養人といわれ、人々のために理想を掲げた半蔵のような人たちだったのかもしれません

近代的人間の藤村が見つめた、古くさいはずのナショナリズム

島崎藤村は、明治学院本科（現・明治学院大学）在学中にクリスチャンになり、その後

フランス留学も経験した、当時ではいち早く近代的な文化や素養を身につけた人です。作品の中で半蔵が期待を託した四男・和助は、同じく半蔵のモデル・正樹の四男であった藤村自身だといえます。

違う道を選んだことからもわかるように、藤村の父親に対する評価は、当初否定的なものでした。日本の古代を復活させようなんていう、保守的で融通の利かない思想を固持する父を時代遅れの頑固者と、否定的に見ていたのです。

しかし、若いときには父親に対して否定的だった彼も、歳を重ね、さまざまな経験をしたことで、少しずつその気持ちに変化が生じたのだと思います。

藤村が『夜明け前』を書き始めたのは、一九二九年、彼が五十七歳のときです。父が悲しい亡くなり方をした年齢に自分自身がなり、一人の人間として、作家として、自らの集大成として挑んだのがこの『夜明け前』という長編小説でした。

おそらく藤村は、少しずつ父親を時代遅れの頑固者として否定することに疑いを持つようになっていったのだと思います。

その一つの要因となったのが、私はフランス留学だったと考えます。

近代、十九世紀のヨーロッパを中心に国民国家が広がっていったとき、その根底にあるのは、一種の愛国運動、ナショナリズムを中心に近代国家ができあがってきていることに、彼はフランス体験を通して、気づいたのです。

これに気づいたとき、日本が近代国家になるにあたって、父が傾倒した国学が、やはり日本には必要だったのではないか、と考えるようになったのではないでしょうか。

インターナショナリズムとかコスモポリタニズムというのは、「人間は平等である」ことを基本としています。しかし、ロシア革命以後の社会主義がその典型ですが、インターナショナリズムを強調して起こした革命後に、現実にできあがったのは、持てる者と持たざる者の格差が大きく存在する社会でした。

これが現実であるならば、表向きの理想よりも、むしろ健全なナショナリズムというものがあっても良いのではないかと、藤村はフランス体験で実感したのではないかと思うのです。

父が理想とした国学は、古くさく、明治の近代化にそのまま用いることはできなかったけれど、あの時代に国学という思想への傾倒があったからこそ、日本は単純なインターナショナリズムやコスモポリタニズムに飲み込まれることなく、基本的な日本の足場といえるものを作っていくことができたのではないか。そういう意味で、父の理想にも、ある一定の役割があり、あの時代に必要なものだったといえるのではないか、と思うようになっていったのでしょう。

少なくとも藤村が主として生きた二十世紀前半の時代においては、やはり国民国家はナショナリズムに支えられる形でしかありえないものでした。そういう中にあって、彼は、自分の父親がやったようなことを、もう少し異なる切り口で、つまり「ナショナリズムの胎動」として肯定しても良いのではないか、と考えたのです。

もちろん、そこには藤村にとって大きな葛藤もありました。

でも、だからこそ、彼はこの『夜明け前』という作品を書くことで、自らの思いと向き合おうとしたのだと思います。

司馬作品にはない魅力を持った歴史文学

『夜明け前』は、見事といって良いほど読み応えのある作品です。

なかでも私が最も感動するのは、そのディテールの、執拗といえるほどの詳細な描き方です。私がこの作品をきちんと読んだのは五十歳のときですが、当時の私は、司馬遼太郎などの作品も数多く読んでいたので、すでに幕末日本の知識はある程度持っていたと思っていましたが、この作品は、それが過信であったことを思い知らせてくれました。

それに、司馬は大衆にわかりやすい作品を書きたいという気持ちを持っていたからだと思いますが、彼の作品は読みやすく、時代の暗部にはそれほど触れず、時代の希望に焦点が当てられています。

それに対し藤村は、自分の父親というモデルがあり、しかもほんの一世代前のことを書いているのですから、その記述は時代に忠実かつ詳細なものになります。

正直にいうと、『夜明け前』を読んだ私は、「ああ、こちらのほうが本物だったんだろうな」という気さえしたのです。

誤解しないでいただきたいのですが、これは司馬遼太郎の作品が偽物だとか、良くないということではありません。私自身、司馬作品はたくさん読みましたし、今でも大好きです。

ただ、藤村の『夜明け前』には、司馬作品とは違った、深みとか充実度を感じるということです。でもこれは、藤村自身が父の生涯と向き合った「当事者としての凄み」のなせる業(わざ)なのかもしれません。

そういう意味では、『夜明け前』は単に優れた文学作品というだけではなく、非常に優れた歴史文学だといえるのです。

ですから私としては、司馬の幕末を扱った作品を読んだ人にこそ、ぜひこの『夜明け前』を読んでほしいと思っています。

司馬作品を通じて幕末に関する知識を得た人がこれを読めば、司馬の描いた希望ある幕末の陰で、絶望の中に生きた人々もいたということが見え、よりあの時代の空気を深く味わうことができるはずです。

島崎藤村は、トルストイのように歴史家を批判することはありませんでしたが、彼と同様に当時の人々の姿を詳細に描くことで、一つの時代を歴史家以上に赤裸々に浮き彫りにした偉大な歴史小説だといえます。

小説は、誰かが考えたフィクションであるという意味では確かに作りものではあるのですが、たとえ作りものであっても、その時代を知る者が丁寧に描いたものは、その時代を知らない読者にとって非常に貴重な学びを提供します。

当時の社会の空気や人の心、心情といったものは、どうしても歴史書だけでは理解できない部分があるからです。

島崎藤村の『夜明け前』はあまり読まれていないのですが、知る人ぞ知る素晴らしき作品です。私が友人のお父さんからその素晴らしさを教えてもらったように、この本が、いつかみなさんが『夜明け前』を読むきっかけになればこれほど嬉しいことありません。

17/20

山猫

ランペドゥーサ

Giuseppe Tomasi di Lampedusa（1896～1957）イタリアの小説家。貴族の家に生まれ、二つの大戦に従軍。ヨーロッパ各地での外国生活も経験し、諸外国の文学にも明るかった。代表作の『山猫』以外には『短編集』『スタンダール講読』などの著作をわずかに残すのみ。

偉大で、複雑で、魅力に豊むシチリアの現実から成っているイタリア統一のドラマを、このような視覚的で決定的な視点からは、ヴェルガもピランデルロも、またデ・ロベルトも全体的には書きませんでした。トマージ・ディ・ランペドゥーザはこの問題にある意味で決着をつけたと言えます。

ルキノ・ヴィスコンティ（1906〜1976）
『ヴィスコンティ秀作集3 山猫』「ルキノ・ヴィスコンティ『山猫』を語る」より

一八六〇年イタリア統一運動の嵐が襲うシチリアを舞台に、「山猫」の紋章を持つ華麗なる貴族の没落を描いた本作は、出版後、国内外で大きな反響を呼び瞬く間にベストセラーとなった。驚くべきは、ほとんど職にも就かなかった無名のシチリア貴族が六十歳を間近に、はじめて試みた小説であることだ。老いや滅び、生きる喜びと悲哀、時代の変化にどのように向き合うのかは、現代のわれわれの心をも惹きつける。

時代が否定してもベストセラーとなった名作

ジュゼッペ・トマージ・ディ・ランペドゥーサ（一八九六〜一九五七）の『山猫』は、先の『夜明け前』と時代背景がとてもよく似た作品です。

『夜明け前』は、長く続いた徳川幕府が倒れ、明治という新しい社会に変わっていく時代の人々を描いた作品でした。この『山猫』も、ナポリ・シチリア王国（両シチリア王国）の支配が、リソルジメント（イタリア統一運動）を経て、イタリア王国の支配へと変化していく時代を描いています。

この二つの出来事は、徳川幕府による大政奉還が一八六七年、イタリア王国の成立が一八六一年と、年代的にもほぼ同時期にあたります。

さらに、『夜明け前』は、作者である島崎藤村の父を主人公のモデルとしていますが、『山猫』はランペドゥーサの曾祖父がモデルといわれています。

『山猫』の作者ランペドゥーサは、シチリア島の名門貴族の出で、他に短編を二、三書いていますが、この作品一作で有名になった作家です。

ランペドゥーサが『山猫』を書き上げたのは、一九五六年ですが、出版されたのは二年後の一九五八年になってから。これはランペドゥーサが亡くなった翌年のことなのです。

なぜすぐに出版されなかったのかというと、彼が文学者や作家としては無名だったからです。出版者が、最初この原稿を受け取ったとき、この原稿は無署名でした。とはいえ素晴らしい作品だったので、出版者は紹介者に作者が何者なのか問い合わせると、著者がシチリアの貴族、パルマ公爵であるランペドゥーサだということが判明しました。しかし、このときランペドゥーサは重い病に冒されており、翌年に亡くなってしまったという事情があったのです。

名家の貴族が作者だということもあって、『山猫』は出版されてすぐ話題になりました。しかし、その評価の多くは否定的なものでした。なかでも冷淡な評価をしたのは、著名な批評家や作家、編集者たちでした。なぜこれほどの名作に否定的な評価が下されたのでしょう。これには「時代」が大きく影響していました。

日本でも同じようなことがあったのですが、第二次世界大戦が終わって間もないこの時期は、世界的に社会主義の影響が強く、階級闘争の中で搾取階級と断じられた貴族の生活や、貴族の滅亡をテーマとした作品を描くこと自体が否定的な目で見られていたのです。

なかでも敗戦国であるイタリアと日本では、こうした傾向が強く見られました。

そういう時代的要因によって否定されるべくして否定されてしまった『山猫』でしたが、ひとたび出版されると一般の読者はそうした批評に反してこの作品を受け入れ、非常に多くの人々が熱心に読んだのですから、皮肉といえば皮肉な話です。

実際、一九九〇年頃に行われた、イタリアの書評紙『Tuttolibri』による「この百年間に出版されたイタリアの小説の中でいちばん好きな小説は何か」というアンケートで、『山猫』は圧倒的な人気の第一位でした。そうした大衆の人気を背景に、『山猫』は世界各国で翻訳され、世界的なベストセラーになっていったのです。

リソルジメントを時代背景にした物語

『山猫』は、全八章からなり、各章には具体的な年月が明記されています。
第一章は一八六〇年五月。
第二章は一八六〇年八月。
第三章は一八六〇年十月。
第四章は一八六〇年十一月。
第五章は一八六一年二月。
第六章は一八六二年十一月。
第七章は一八八三年七月。
第八章は一九一〇年五月。

この構成を見るとわかるように、物語は一八六〇年から一八六二年までのわずか三年間に集中しており、第七章と第八章は、後日譚のような形になっています。

物語の始まる一八六〇年五月は、ジュゼッペ・ガリバルディ率いる「千人隊」(そろいの赤いシャツを着ていたことから「赤シャツ隊」ともいわれる)がシチリア島に上陸してきたそのときです。

ここで物語を理解しやすくするため、簡単にリソルジメントの流れを解説しておきましょう。

十八世紀末に始まったナポレオンによるイタリア遠征以後、イタリアはフランスの支配下に置かれていました。その後ナポレオンが失脚し、ウィーン議定書（一八一五年）によってミラノを中心とする北イタリアではオーストリアによる支配が、トリノを中心とするピエモンテ地方とサルディーニャ島では国王ヴィットリオ＝エマヌエーレ一世のもとサルディーニャ王国が、ローマを中心とする中部イタリアではローマ教皇権力が、それぞれ復活します。

そして、作品の舞台であるシチリア島を含む南部イタリアは、ナポリ王国のスペイン＝ブルボン家とシチリア王国を合わせた「両シチリア王国」が復活していました。

そうしたなかで、最初に民主主義と国民国家の樹立を掲げて蜂起したのが「カルボナリ（炭焼党）」といわれる結社でした。彼らは一八二〇年にナポリで、翌一八二一年にピエモンテで蜂起しますが、いずれもオーストリアの介入によって鎮圧されます。

次に動いたのが、自由主義者ジュゼッペ・マッツィーニが一八三一年に結成した青年イタリア党です。彼らはイタリアを統一国家とし、オーストリアから独立することを目指しますが、なかなか上手くいきません。

その青年イタリア党に傾倒し、後のリソルジメントを牽引したのがガリバルディでした。彼は一八五九年に第二次イタリア独立戦争が起きると、共和主義を唱えるマッツィーニと手を切り、サルディーニャ王国のヴィットリオ・エマヌエーレ二世のもと、全イタリアを統一することを目指します。

この最中、シチリア最大の都市パレルモで起きた反乱に乗じ、ガリバルディは義勇隊「千人隊」を率いて、シチリア島マルサラに進軍、両シチリア王国軍を打ち破り、シチリアを占領。これを足がかりにイタリア本土のナポリを占領し、住民投票を行い、正式に両シチリア王国をサルディーニャ王国へ併合し、統一の動きを一気に進めたのでした。

『山猫』はまさに、この一八六〇年のガリバルディによるシチリア侵攻のときを舞台に物語が進行していきます。

変わりゆく世界の中で変わらないことを選んだ公爵

物語の主人公は、サリーナ公爵ドン・ファブリツィオ。

シチリア名門貴族で、社会的な地位も高く、シチリアの最高責任者など色々な役職にも就いている人物です。大柄でたくましく、妻のマリア＝ステラとの間に七人の子供を授かっていましたが、五十歳になった今もまだ精力は衰えていません。

ナポリ王国への忠誠を忘れず、誇り高きサリーナ家の当主は、当時の名門貴族の多くがそうであったように傲慢な一面を備えていましたが、同時に天文学者であった彼は、宇宙がどのように動いていくのか、その宇宙の動きと人間の運命を重ね合わせて考えるような、ロマンチストな一面も持っていました。

公爵はタンクレディ・ファルコネーリという甥をかわいがっていました。

彼は、公爵の姉ジュリアの息子ですが、亡父のフェルディナンドが財産を使い果たしてしまったために家は没落し、十四歳のときに母が亡くなり一人になって以降、ファブリツィオが後見人となって面倒を見ていました。

そのタンクレディも二十歳の情熱と野心を併せ持った美しい青年に成長していました。

公爵がパレルモの町で愛人と過ごした翌朝、彼のもとにタンクレディが「別れ」を告げにやってきます。時勢に聡く野心家のタンクレディは、ガリバルディの千人隊に身を投じる決意をしていたのです。このときすでに、シチリアではガリバルディの軍と両シチリア王国軍が戦いを繰り広げていました。

公爵はタンクレディを止めますが、彼は「ぼくたちが、現状維持を望んだところで、すべてが変わるはずです」と言って、決心を変えることはありませんでした。公爵はそんなタンクレディを呼び止め、金貨の包みを彼のポケットに滑り込ませたのでした。

旧来の貴族である公爵は、両シチリア王国に忠誠心を持っていましたし、王国が滅亡すれば自分たちの権威が失われてしまうことも理解していました。しかし、同時に彼は、タンクレディが言うように、イタリア統一の流れはもはや止められないこともわかっていました。

そうしたなかで彼が選んだのは、どちらの勢力にも荷担せず、できるだけそれまでと変わらぬ生活を続けていくことでした。

一八六〇年の夏も、公爵は毎年のように家族とともに過ごすため、ドンナフガータの別邸へ向かいました。タンクレディとその友人も一緒です。

ガリバルディの軍に参加したタンクレディは、果敢に戦い、負傷しながらも着実に出世の階段をのぼっていました。彼はもはや革命軍の義勇兵などではなく、サルディーニャ王国の国軍兵士となっていました。

そんなタンクレディに思いを寄せていたのが、公爵の娘、コンチエッタでした。

コンチエッタはタンクレディを思っていること、彼と結婚したいと思っていることを神父を介して父に伝えます。

公爵はコンチエッタの従順で控えめな性格を愛していましたが、二人の結婚を認める気にはなりませんでした。なぜなら、一つには二人が血の近い従兄妹同士であること。もう一つは、野心家のタンクレディの将来のためには、彼の野望を助けるに足るだけの金持ち

の家の娘が必要だと考えていたからでした、

変わらない公爵の生活と対照的に、世の中は凄まじいスピードで変わっていました。シチリア島から多くの貴族が逃げ出し、その機を見て資産を蓄える者も現れました。その代表が、公爵の領地ドンナフガータで村長をしていたドン・カロジェロ・セダーラでした。そんなドン・カロジェロが、公爵家のドンナフガータでの最初の晩餐会に招かれます。その夜、彼は、娘のアンジェリカを伴ってやってきました。

(略)ドアがあいて、アンジェリカがはいってきた。皆は第一印象で目がくらむほど驚いた。サリーナ家の人びとは短いため息をもらした。タンクレディは、じっさい、こめかみの血管に血がどきどきと脈打つのを感じた。

(『山猫』第二章/佐藤朔 訳/河出文庫)

公爵家の人々の記憶の中では、醜く身なりにも気を遣わない少女だったアンジェリカが、目を見張る美女に成長していたことに驚きます。

タンクレディとアンジェリカは、恋に落ち、すぐに両思いになります。若い二人の思いを知った公爵は、二人の結婚を取り持ちます。アンジェリカの家は名門ではありません。そのため彼女には、少々品の悪さを感じるところもありましたが、それを補ってあまりある美しさがありました。

それに、ドン・カロジェロは新興地主なので金持ちでした。貪欲で吝嗇家(りんしょくか)で抜け目のないドン・カロジェロは、公爵にとって好ましい人物とはいえませんでしたが、時流に乗って財を成した彼なら、タンクレディの将来を支えるに充分な資金を提供できると考えたのです。そうこうするうちにガルバルディの軍は解散し、シチリアは住民投票を経て、正式に新しい王国に組み込まれます。

そんな一八六〇年十一月、シュヴァレイという人物が公爵のもとを訪れます。彼はジルジェンティ地方の知事の秘書で、公爵を新政府の上院議員に推薦したいというのです。

ファブリツィオは、これが名誉だけの職なら喜んで受けるが、そうでないなら、「わたしは不運な世代に属しているのです。古い時代と新しい時代のあいだで不安定な均衡をたもち、どちらに傾いてもわたし自身はしっくりしないのです」と断ります。

そして、自分の代わりに、やがてタンクレディの義父となるドン・カロジェロを上院議員に推薦したのでした。

そして、変わりゆく世界と我が身について、次のような言葉で憂います。

〈こんな状態はこんなに長つづきしないはずだった。だが、永遠につづくだろう、もちろん、人間の永遠だから、一世紀か二世紀の話だが。そのあとで、ちがってくるかもしれない、もちろん、悪くなるだろう。われわれは「山猫」や「ライオン」だった。われわれの後継者たちは「金狼」や「ハイエナ」になるだろう。そして、われわれが存在するかぎり、「山猫」であろうと「金狼」であろうと、「羊」であろうと、われわれはすべてわれわれを「地の塩」と考えつづけるだろう〉

(『山猫』第四章/佐藤朔 訳/河出文庫)

「地の塩」というのは、新約聖書のマタイによる福音書「山上の垂訓(すいくん)」でのキリストの言葉にもとづくもので、社会のために尽くして人々の模範となる人、を意味します。

私がこの部分を読んで非常に興味深く感じたのは、十八世紀から十九世紀にかけてのイタリアとイギリスの貴族階級の在り方の違いでした。

イギリスの貴族というのは、「ノブレス・オブリージュ/noblesse oblige」といって、身分の高いものにはその身分に応じた、果たさなければならない社会的責任があるという道徳観を持っています。そのためイギリスの貴族には、国事にかかわることを自分たちの本分とするという意識があります。

しかし、このシチリアのサリーナ公爵はそうではありません。もちろん彼も貴族としての誇りは持っているのですがイギリス人のそれとは明らかに違います。彼自身が天文学者であるということもあってか、国事に対してあまり積極的ではないのです。

ちなみに、これは余談ですが、ノブレス・オブリージュの意識の強いイギリスでも、オックスフォードとケンブリッジでは違うともいわれています。イギリスでまことしやかにささやかれる噂によれば、オックスフォード系の貴族は、国事にかかわることを非常な名誉とし、世界は自分たちが動かすのだという意志が強いのに対し、ケンブリッジ系の貴族は、国事にかかわらないことを潔しとするそうです。

映画『山猫』には描かれなかった後日譚

『山猫』の日本語訳出版は、一九六一年の佐藤朔訳が最初で、これはフランス語原典をもとにしていました。その後、二〇〇八年に岩波書店から、イタリア語原典からの翻訳（訳者・小林惺）が出されていますが、日本では『山猫』というと、ルキノ・ヴィスコンティが監督した伊仏合作映画『山猫』（一九六三年公開）のほうが知名度は高いでしょう。

実際私も、最初は映画を観て、それから原作を読んだ一人です。

映画『山猫』は大変素晴らしい作品で、第一六回カンヌ映画祭（一九六三年）でパルム・ドールを受賞しています。キャストも素晴らしく、サリーナ公爵ドン・ファブリツィオはバート・ランカスターが、タンクレディはアラン・ドロンが、アンジェリカはクラウディア・カルディナーレがそれぞれ好演しています。

すでに映画を観て内容を知っていましたが、原作を読んだとき、表現の奥行きと深さには圧倒されました。原作には、映像だけではどうしても描ききれなかった、時代の空気が、見事に描き出されていたからです。

映画『山猫』の山場は、原作の第六章にあたる、パレルモのポンテレオーネ公爵の館で催された豪華な舞踏会のシーンです。ヴィスコンティは、このシーンに全体の三分の一の時間を費やすほど力を入れています。

この舞踏会が開かれたのは、一八六二年十一月。すでにイタリア王国が正式に成立していました。シチリアでは徴発と暴力がやっと消え去り、社交界を構成する二〇〇人ほどの人々は、お互いに生き残ったことを祝福し合うために、やたらと舞踏会が催されていたのです。数多く開かれていた舞踏会の趣旨はどれも同じようなものでしたが、この日の舞踏会は、公爵にとって特別な意味がありました。それは、かわいい甥の美しい婚約者を社交界にお披露目することになっていたからです。

映画『山猫』のワンシーン。左からアンジェリカ（クラウディア・カルディナーレ）、サリーナ公爵（バート・ランカスター）、タンクレディ（アラン・ドロン）

アンジェリカはもちろん、財産を持たないタンクレディも、これまでは社交界ではほとんど見向きもされない存在でした。

しかし、いまはもう違います。タンクレディが新政府で出世を遂げていることは、社交界の人々はすでに知っていました。そこに、婚約者としてあの美しいアンジェリカが現れれば、社交界の耳目を集めることは間違いありませんでした。

しかし、そのために社交界に事前に根回しし、紹介の舞台が整えられたのは、いうまでもなくサリーナ公爵の尽力によるものでした。

映画のハイライトは、公爵がアンジ

エリカに頼まれて、集まった人々の前で優雅にワルツを踊るシーンです。

この華やかなダンスシーンの後、アンジェリカがタンクレディと三人で食事をしませんかと公爵を誘います。しかし公爵は「お腹がすいてないから」と言って断り、二人で食事をするように言います。

実はこのとき、公爵はアンジェリカの誘いを嬉しく思っていたのですが、自分が若いときに、年老いた叔父につきまとわれた晩餐をおぞましく感じたことを思い出し、自ら退いたのです。このシーンは、公爵自身が「老いゆく存在である」ことを強く自覚していることを窺わせます。

この「老い」は、彼自身だけのものではなく、彼の属す階級にもかかっています。華やかな舞踏会、そこで見事なワルツを披露する公爵、こうした爛熟（らんじゅく）した貴族の姿は、もはや落日の輝きにすぎないということです。このタナトス（死の神）とエロス（愛の神）の織り成す美学を、映画『山猫』は見事に映像化しています。

しかし、原作の『山猫』は、さらに素晴らしいのです。

映画は、明け方まで続いた舞踏会が終わりを告げ、人々が馬車を仕立てて帰途に就くなか、老いという死の影を漂わせた公爵が、一人夜の町を歩いて帰るところで終わっていますが、原作の『山猫』には、この二十年後に訪れる公爵の臨終と、そこからさらに二十年後のサリーナ家の様子が語られています。

映画にはない、これらの後日譚を読むと、『山猫』が出版された時代に、文化人らに酷評されていたにもかかわらず、なぜ一般の人々が、この作品を支持したのかがおわかりいただけるのではないかと思います。

当時、社会主義が蔓延していった背景には、貴族に搾取されていたという民衆の怨嗟(えんさ)の気持ちがありましたが、民衆がこの作品に魅力を見出したのは、貴族たちが没落していく姿に、その憂さを晴らしたからではありません。

『山猫』が書かれたのは、第二次世界大戦後です。戦後の日本は貧しかったけれど、同じく敗戦国となったイタリアも、その貧しさは大変なものでした。

そうした時代に、たとえ滅びゆくものの姿だったとしても、美しく悠然とした『山猫』の世界は、人々の目に「古き良きイタリア」と映ったのだと思います。そのノスタルジーが、イタリアの人々の心をつかんだのだと私は思います。

そして、退廃的かもしれないけれど、毅然と「滅び」を受け入れていく公爵の姿に、敗戦国イタリア人の民衆の共感があったのではないかと思うのです。

この作品は、映画も原作も名作です。

ぜひ、両方合わせて楽しんでいただくことをお勧めします。

18／20

阿Q正伝

魯迅

ろじん（1881〜1936）。中国の文学者、思想家。裕福な家に生まれるが、幼少期に没落し、貧窮を経験する。医学を学ぶために日本に留学するが文学に志を転じ、帰国後多くの小説や随筆、論評を発表。また、日本文学やロシア文学などの翻訳にも力を注いだ。

魯迅は何ひとつ、既成の救済策を私たちに与えてくれはしない。それを与えないことで、それを待ちのぞむ弱者に平手打ちを食わせるのだが、これ以上あたたかい激励がまたとあるだろうか。

竹内好(1910〜1977)
『魯迅評論集』より

「阿」とは親しみを表す接頭語で、日本語でいえば「さん」のようなものだ。漢字ですらない「阿Q＝Qさん」の「伝記」といったところか。自らの名前すら曖昧で、社会の最下層で惨めな生活を余儀なくされる主人公の阿Q。無知だが自尊心は強く、弱者ゆえの独特な精神構造は次第に瓦解してゆく。そして、その背景にある当時の状況が風刺的に暴き出される。どこか噛み合わぬまま物語は進み、主人公はいなくなった……。けれども世界は何も変わらない。

医学のために日本に留学し、文芸の道に転じた魯迅

『阿Q正伝』は魯迅（一八八一～一九三六）が一九二一年より発表した小説です。魯迅は、日本ではとても有名な作家ですが、彼の作品はそのほとんどが短編で、『阿Q正伝』が唯一の中編といわれています。とはいえ、これも短編といってもよいぐらい短く、魯迅の短編集に収録されています。

ちなみに今回私が読んだのは、岩波文庫『阿Q正伝・狂人日記　他十二篇（吶喊）』竹内好（うちよしみ）訳です。『阿Q正伝』の他、十三篇の短編を収録しているもののそれほど厚いものせ

はありません。

そういう意味では、魯迅の作品を読むのはこれまで紹介してきた本に比べれば簡単です。でも、きちんと読み解くのは簡単なことではありません。なぜなら、これらの作品は、いわば「寓話」のようなものだからです。魯迅の作品を読むときは、彼が作品に込めた真意を読み解くことが必要なのです。

それを知るために、まず彼が作家になった経緯に触れておきましょう。

魯迅（本名・周樹人）は、一八八一年、浙江省の紹興という街で生まれました。彼が生まれたとき家は裕福でしたが、その後、祖父の失脚や父親の病死で家は没落します。

魯迅は十七歳のときに、南京（ナンキン）に出て江南水師学堂という理系の学校に入っていますが、これは当時の「正当なコース」ではなかったことを後に述懐しています。

当時の中国は清朝の末期、世間一般ではまだ古典の勉強をして国家試験を受けるのが正当なコースで、理系のような洋学を学ぶのは、魯迅の言葉を借りるなら「行き場のなくなった人間がついに魂を毛唐に売り渡したもの」と、卑（いや）しめられるものだったとのこと。

それでも魯迅が南京の学校に行きたいと思ったのは、家が没落したことで、周囲の人々の風当たりが強くなり、「ちがった場所でちがった人と交りたかった」からでした。

南京で新しい学問に触れた魯迅は、一九〇二年、官費留学生として日本に渡り、東京の弘文学院（明治期の清国からの留学生のための教育機関）を経て一九〇四年に、仙台医学専門学校（現・東北大学医学部）に進みます。

魯迅はここで、彼のその後の人生を変える二つのものに出会います。

一つは、彼が生涯の師と仰いだ藤野厳九郎（げんくろう）教授との出会い。

もう一つは、母国中国の様子を伝える幻灯（スライド）でした。

当時はスライドを使って講義が行われることがありました。講義の時間が余ると、教師は風景やニュースのスライドを映写して、学生たちに見せることがあったようです。時は日露戦争の最中、戦争関係のスライドが多いなか、魯迅は一枚のスライドに目を奪われました。それは、後ろ手に縛られた一人の男を真ん中に、その周りを無表情で取り囲む同胞たちの姿でした。

解説によると、縛られているのはロシア軍のスパイを働いた中国人で、見せしめとして日本軍に首を切られるところで、取り囲んでいるのは、それを見物に来た中国人たちだというのです。このスライドから受けた衝撃を魯迅は次のように語っています。

（略）あのことがあって以来、私は、医学などは肝要ではない、と考えるようになった。愚弱な国民は、たとい体格がよく、どんなに頑強であっても、せいぜいくだらぬ見せしめの材料と、その見物人になるだけだ。病気したり死んだりする人間がたとい多かろうと、そんなことは不幸とまではいえぬのだ。むしろわれわれの最初に果たすべき任務は、かれらの精神を改造することだ。そして、精神の改造に役立つものといえば、当時の私の考えでは、無論文芸が第一だった。（略）

（『阿Q正伝・狂人日記　他十二篇（吶喊）』「自序」より／竹内好 訳／岩波文庫）

つまり魯迅は、最初は医者になって中国人の「体の問題」と向き合おうとしていたのですが、このスライドを見て、今の中国人には体の問題よりも「心の問題」を解決することこそ急務だと考えるようになり、そのための手段として文芸の道に進んでいったのです。

「マアマアフウフウ」という病から人々を救う薬とは？

魯迅は一般的に、非常に旧勢力が強い中国で、その旧勢力と妥協なき戦いを続けた人で、作品を通して、社会に対し問題を告発していったといわれています。

では彼は、具体的に、中国人の何が問題で、どうすべきだと考えたのでしょう。

この答えといえるのが、当時上海（シャンハイ）で内山書店を経営し、魯迅と親交が深かった内山完造（一八八五～一九五九）が伝える魯迅の言葉です。

「志那四億人の人間の罹っている病気がある、それは名づけて馬々虎々と言う（この馬々虎々はアテ字であるが、おそらくは漠々糊々であろうと思う）。この病を治すにあらざれば志那を救うことは出来ない。全日本を排斥するとも日本人の持って居る真面目だけは学ばなければならん。この薬以外に薬はないのだ。」

（『魯迅の思い出』内山完造／社会思想社）

「マアマアフウフウ（馬々虎々）」というのは、「はっきりさせてはいけない、つまり、いいかげんにしておけ」という意味だといいます。

つまり、中国人は、非常にいい加減で、その場しのぎで、その場さえ良ければいいという発想に冒されている。魯迅は、自分の祖国である中国の人々が、そういう欺瞞だらけの社会に生きていることを憂い、精神から改めていかなければならないと考えていたということです。

旧社会とは、古い社会ということですが、単に古いということではなく、そういう旧社会的なものを引きずっている中国人社会を意味します。魯迅は「旧社会を批判した」といわれていますが、彼が批判していたのは、その古さではなく、その善し悪しをはっきりさせず引きずり続ける「いい加減さ」ということだったのでしょう。

この「いい加減さ」について、東京大学で中国史を教えておられた並木頼寿（よりひさ）先生からお聞きした話を思い出しました。並木先生は専門柄、中国や韓国からの留学生と接する機会が多かったのですが、中国人と韓国人では事態に直面したときの態度がまるで違うというのです。

韓国から来た留学生は、一家の期待を自らに背負って来ているので、博士論文が書けないとひどく落胆するのですが、中国から来た留学生は、同じように一家の期待を背負っているはずなのに、それほど落胆しない。なぜなら、彼らはダメならダメで商売をやっていけばいいやと、よくいえばたくましく、悪くいえば少しも悪びれることがないというのです。

この話を聞いたとき、私はここから転じて、中国社会とローマ社会の違いを考えたのです。

『三国志』や『水滸伝（すいこでん）』を読むと、権謀術数（けんぼうじゅっすう）や裏切りといった話が数多く登場します。私はローマ史を専門としているせいか、どうしてもそういうことが自慢げに英雄譚に盛り込まれていることに違和感を覚えてしまうのです。

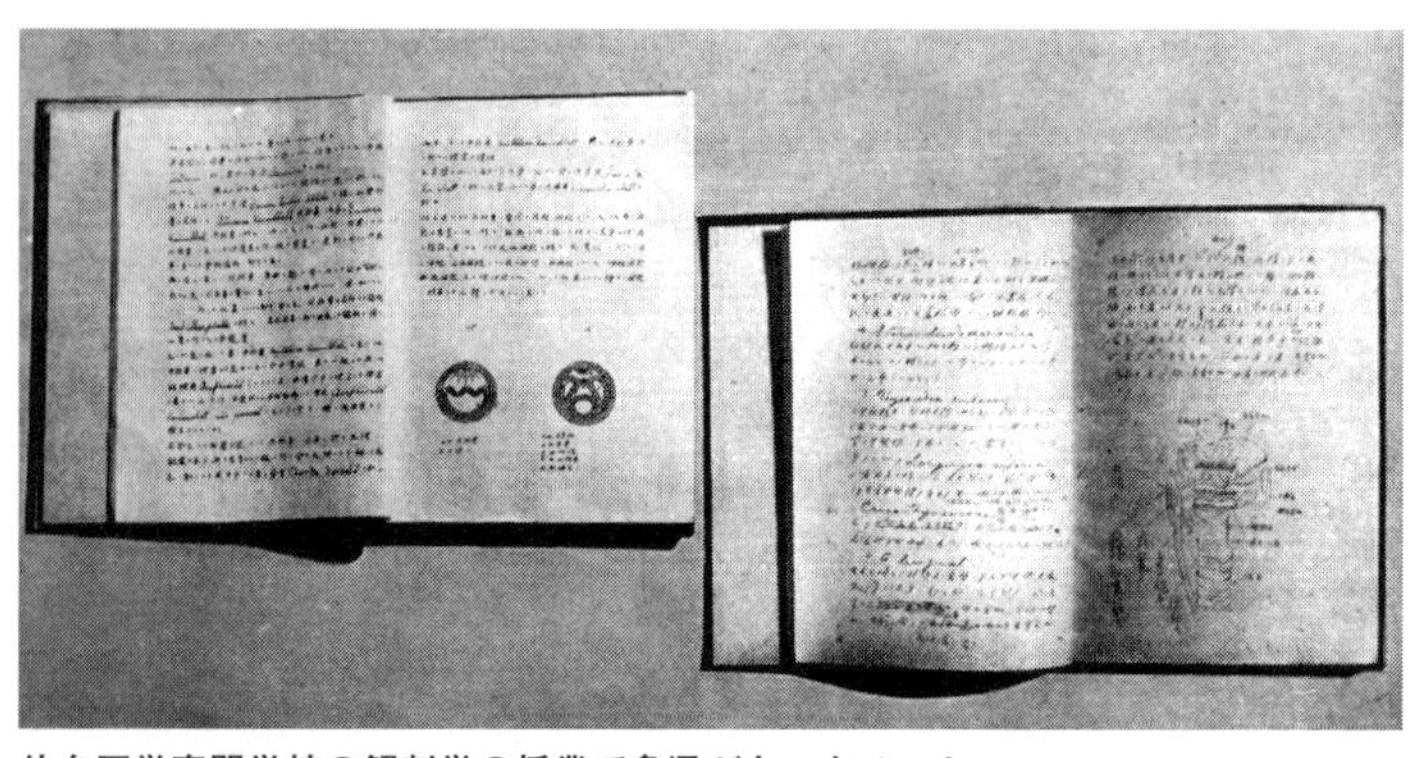

仙台医学専門学校の解剖学の授業で魯迅がとったノート

もちろんローマ人も、戦争などの場面では、すべてを正攻法で行うわけではありません。戦略の中には「騙し」に近いこともあります。しかし、基本的に騙しはローマ人にとっては恥ずべきことなので、少なくとも美談ととらえるというメンタリティはありません。

こうした「騙し」や「誤魔化し」といったことに対する価値観の違いに、魯迅は気がつき、その部分を何とか改善しなければ、中国人の未来が明るいものにならないという切実な危機感を抱いたのだと思います。

魯迅が内山に「日本人のあの真面目ということが特効薬だ」と語ったのは、彼が上海で生活していたときなので、すでに中国で反日感情が強まっていた時期です。そうしたなかでも「全日本を排斥してもよいが、あの薬だけは買わなくてはならんのだよ」

と魯迅が言ったのは、日本での生活で、日本人の真面目さ、なかでも恩師・藤野厳九郎の誠実さが強く影響したと考えられています。

藤野は解剖学の先生で、留学生だった魯迅に講義後、ノートを提出させていました。そのノートが魯迅の手元に返ってきたときには、間違いは訂正され、聞き漏らしたところは書き加えられるという学業面の指導だけでなく、日本語の間違いまで丁寧に添削されていたのです。これが魯迅の学びにどれほど有益だったかはいうまでもありません。

しかもこうした添削は、一度や二度ではなく、魯迅が医学を断念して学校を去るまでずっと続いたといいます。

魯迅は、藤野のこうした誠実な態度に、心から感銘を受けたのでしょう。

魯迅が阿Qを描くことで伝えたかった、中国の問題

魯迅が『阿Q正伝』を発表したのは、一九二一年から二二年にかけて、中国共産党が成立して間もないときのことです。

物語の主人公は、日雇い労働で糊口(ここう)をしのぐ阿Qと呼ばれる最下層の男です。

彼は、教育を受けていないのはもちろんのこと、原籍もなく、姓名すらわかりません。

未荘（ウェイチワン）という村の土地廟（土地神と穀神を祭る廟）をねぐらとしている、今でいえばホームレスのようなものです。村でさまざまな家の半端な頼まれ仕事をして、少しばかりの賃金をもらい、その日その日をなんとか暮らしていました。

村人たちは、たまに彼をからかうぐらいで、普段はその存在すら気に留めていません。そんな阿Qでしたが、彼は人一倍自尊心が高く、未荘の人々を心の中ではバカにしていたので、些細なことで村人と度々ケンカになっていました。でも、たいていは阿Qが痛めつけられて負けて終わるのでした。

自分がバカにしている相手に負けるのですから、普通なら落ち込みそうなものですが、阿Qはすべてを逆転させる「精神勝利法」という独自の思考法を拠（よ）り所にしていました。

これは一種の「すり替え」なのですが、たとえばケンカで負けたとき、自分を親、相手を自分の子供だと思うのです。そうすると、自分が「親」、つまり立場が上になるので、「ちかごろ世の中がへんてこで」とひと言つぶやいておけば、それで満足できるというわけです。

他にも阿Qは色々な方法で、どんなことをされても、相手を見下すような理屈を見つけ出しては正当化して、現実がどんなに惨めな状態でも、心の中で満足して、意気揚々となるのです。

これは一見するとポジティブなように見えますが、魯迅は「奴隷根性」だと批判したのです。なぜなら、いじめられたり、蔑まれていることを、正当な努力や何かの形で跳ね返すのではなく、現実から目をそらして、心の中だけで正当化し、現実をねじ曲げるのが関の山だからです。

そして、こうした阿Qの思考法こそ、中国人の多くが患っている病だと魯迅はいっています。

無知や恐れが真実までも捻じ曲げてしまう

そんな阿Qは、ある日蔑んでいた尼さんをからかったときに、逆に尼さんから浴びせられた「跡取りなしの阿Q！」という捨て台詞が耳に残り、突如として女性に関心を持つようになります。

そして、村一番の名家である趙(チヤオ)家に手伝いに行ったとき、そこで女中をしていた若後家に言い寄ってしまいます。女中は驚いて泣き叫び、趙家の怒りを買った阿Qは、趙家の出入りを禁じられただけでなく、村中から仕事をもらえなくなってしまいます。飢えた阿Qは、仕方なく村を出て、城内に仕事を求めます。

しばらくして城内から戻った阿Qは、身なりも良くなり、少しばかり羽振りも良くなり、村人を驚かせました。

こうなると村人も、また阿Qとつきあうようになるのですが、彼が自慢げに語っていたことのほとんどは嘘で、実際には泥棒の下っ端をやっていたにすぎませんでした。

ちょうどその頃、革命思想が普及しはじめ、村人たちはその噂に怯(おび)えました。阿Qは城内にいたときに、少しばかり革命党の人間を見たことがあったので、そのことをまたもや大げさに吹聴し、そのたびに村人がびくびくするのが面白く、「革命も悪くないな」と思うようになります。

そして、いつものごとく勝手な妄想をくり返し、自分ではすっかり革命党の一員になった気でいたのですが、村の大家の息子が本当に革命党に入ったことで、またもや彼の嘘がバレてしまいます。

そんなある日の夜、趙家が襲われます。押し入ったのは、革命党の一味でした。趙家が略奪される様子を見かけた阿Qは、自分が誘われなかったことに悪態をつきつつ、眠りにつきます。

ところが、その四日後、阿Qは夜中に捕らえられて城内に送られてしまいます。

趙家に押し入った賊の一味だという嫌疑がかけられたのです。

取り調べの席で、「白状しろ」と言われても、阿Qには何のことだかわかりません。その上、恐れと無知から、阿Qはとんちんかんな受け答えをしてしまいます。

そして最後は、自分でも訳のわからないうちに、字も書けない阿Qは書類にサインをさせられ、賊の一味として銃殺されてしまうのでした。

刑法的な価値観に支配された社会では、真実さえも軽視される

魯迅はこの作品を通して、阿Qが最期まで抜け出せなかった「奴隷根性」こそが、中国人の精神に根本的に染みついた病だと、警鐘を鳴らしたといえます。

自国に向けて痛烈な風刺をした魯迅ですが、中国内でもその評価はとても高いものです。

実際、中国の教科書では魯迅の作品が必ずといってもいいほど採用されています。

しかし、これはあくまでも表向きの評価であって、中国人に聞くと、何度も繰り返し出てくるので、もう魯迅には飽きたと言って、魯迅を嫌う人も多いようです。

なぜ魯迅が嫌われるのか。それはちょうど、口うるさく自分の欠点を何度も聞かされるのに似ているためではないかと思います。痛いところをつかれるのはもちろん面白くな

い、でも、自分でも批判は正しいと思えるから否定もできないということです。

魯迅が生きたのは、辛亥革命によって清朝が滅亡し、中華民国が誕生し、その中で国民党と共産党が対立し、そして国共が分離していくという政治的変動のとても大きな時代でした。

そのような状況下だからこそ、魯迅には中国人が抱える精神の問題がより鮮明に見えたのでしょう。つまり、中国社会は、政権が変わっても、社会構造が変わっても、根本的な変化は何も起こっていない。『阿Q正伝』には、そんな中国人に対する魯迅の悔しくも悲しい思いが、阿Qと阿Qを取り巻く人々の姿に込められているのだと思います。

阿Qの「精神勝利法」は、苦しい現実の中でも自分の精神をどうにか保つために、必要なものだったとも考えられます。

しかし、「自分を誤魔化す」、つまり自分に都合良く解釈していては、思考を停止させるばかりで、自分自身も、自分を苦しめる現実も当然変わらないことを、魯迅は阿Qを描くことで伝えたかったのでしょう。

そのことを感じさせるのが、『阿Q正伝』の最後のシーンです。

世論はどうかといえば、むろん未荘ではひとりの例外もなく、阿Qが悪いとした。

銃殺に処せられたのが何よりの証拠、悪くなければ銃殺されるはずがない。(略)

(『阿Q正伝・狂人日記　他十二篇(吶喊)』竹内好 訳/岩波文庫)

阿Qは、悪いことをしたから処罰されたのではなく、処罰されたということが悪いことをした証拠だというのです。

「奴隷根性」の根源にあるもの

魯迅はこうした奴隷根性的な発想を、真面目さ、誠実さという薬で治療しようと考えた訳ですが、少し立ち止まって、現代のわれわれには異質にも映る「奴隷根性」がどこから来たものなのかを考えてみたいと思います。

魯迅の描いた旧中国人のこうした発想の根源にあるのは、中国の法律のなりたちにあるのではないかと私は思ったのです。ヨーロッパの法律は、ローマ法をルーツに、民法を基礎に発展してきました。それに対し、中国の法律は、刑法が法律の基礎となっています。

民法の根源にあるのは、問題が生じたときに、それぞれの意見を対等な立場でぶつけ合う「議論」です。しかし、刑法の根源にあるのは、上の立場の者が下の者を罰する「処罰」です（しかし、二十一世紀の現在では、市場経済が本格化し、契約法等の私法の領域にかぎれば、法は着実に機能しているらしい。民事訴訟件数は非常に多くなっているという。ローマ法の伝統がない社会だから、更地に合理的な民法体系を作って運用することができたのでしょう）。

この刑法中心の問題点は、人々の関心が、罰を与える者が正しい判断をしているのかどうかということではなく、刑罰に対する恐怖から、自分がそういう目に遭わないように上の者に対し無条件で従順であることを、無意識に選択するようになってしまうことにあります。

上の者が白と言えば白と言い、黒と言えば黒と言う。真実ではなく、上に立つ者の顔色を見ようとしてしまう。そうしたところに、阿Qの「奴隷根性」の根源はあるのかもしれません。

魯迅が『阿Q正伝』を通じて伝えたかったことは明快です。しかし、それを読み解くのは簡単なことではありません。現代のわれわれの目には異質にも映る阿Qの「奴隷根性」は、「旧」中国人にだけ見られるものではないでしょう。魯迅は中国人に向けて『阿Q正伝』を書きましたが、時代や場所を問わず、誰にとっても「自分を誤魔化さない」ことは簡単なことではないのです。

短い作品ですが、読む人にさまざまに思考をめぐらせる『阿Q正伝』は、やはり名作だと思います。

19/20

武器よさらば

ヘミングウェイ

Ernest Miller Hemingway（1899～1961）。アメリカの小説家。『老人と海』（1952年）が高く評価され、1954年にノーベル文学賞を受賞。同年、アフリカ旅行中に二度の飛行機事故に遭い、重症を負ったため、授賞式は欠席した。

ヘミングウェイが戦争について書いた中で最も素晴らしい、そうして私にとっては戦争と敗北の状況下にある人間の無力を描いたものとして最も忘れることのできない場面は、『武器よさらば』のカポレットの敗走の場面である。

アルフレッド・ケイジン(1915～1998)
『戦争とアメリカ社会』より

一九二九年に発表された『武器よさらば』の舞台は、第一次世界大戦、イタリア戦線でのヘミングウェイ自身の従軍記者時の経験をもとにしている。ハードボイルドスタイルともいわれる余計な脚色を抑えた文体、作家本人の勇敢で男らしいイメージとともに二十世紀のアメリカを体現した作品といえる。戦争の醜さ、愚かさそして愛と死を伝えるのに感情は無用だ。いや、感情の喪失こそ真実を露わにするのかもしれない。

実体験の重さと、作家としての力量が生み出した名作

一九五四年にノーベル文学賞を受賞したアーネスト・ヘミングウェイ（一八九九〜一九六一）は、数多くの名作を残しています。その中でも特に「時代」を反映した名作といえるのは、『武器よさらば／A Farewell to Arms』と『日はまた昇る／The Sun Also Rises』の二作品でしょう。

時代的には、『武器よさらば』が第一次世界大戦下の時代を舞台としているのに対し、『日はまた昇る』は同大戦後の世界を舞台としています。ですから作品の舞台としては

『武器よさらば』のほうが先ですが、作品が書かれた時期は、『日はまた昇る』のほうが三年ほど早いのです。

ヘミングウェイが『武器よさらば』の執筆に着手したのは一九二八年、彼が二十八歳のときです。若いと思われるかもしれませんが、このときすでに彼は新鋭の作家としてその地位を確立していました。

アメリカのイリノイ州で生まれ育ったヘミングウェイは、高校を卒業するとすぐに隣接するミズーリ州の地方紙「カンザスシティ・スター」で見習記者として働きます。しかし翌一九一八年には退職し、アメリカ赤十字社に登録、第一次世界大戦下の北イタリアに傷病兵の運搬要員として赴任します。

彼はここで迫撃砲弾の破片を浴び重傷を負い、ミラノのアメリカ赤十字病院で療養生活を送ることになります。そして、この病院でヘミングウェイは、七歳年上の看護師、アグネスと恋に落ちます。しかし、その後アグネスは別の病院に移り、ヘミングウェイもアメリカに帰国。彼はアグネスからの別れの手紙を受け取り、恋は実らずに終わります。

その後ヘミングウェイは、一九二〇年にカナダのトロントへ移り住み、日刊紙「トロント・スター」で、フリーの記者として働き、その翌年には、特派員としてフランスに渡り、パリで本格的に小説を書くようになります。

小説家になってからも、彼は書斎に籠もることなく、ギリシア・トルコ戦争（希土戦争）を取材したり、スペイン内戦を報道したりと、精力的に活動しています。

ヘミングウェイは兵士として前線に出たわけではありませんが、戦場や取材先での経験が、『武器よさらば』に大きく影響していることは間違いありません。

実際、『武器よさらば』には、ヘミングウェイの実体験と重なるようなエピソードも盛り込まれています。とはいえ、『武器よさらば』は、単純な私小説ではありません。むしろ『武器よさらば』より前に書かれた『日はまた昇る』のほうが、ヘミングウェイの実体験と重なるところが大きいといわれています。

彼が戦争を経験してから十年の歳月を経て書かれた『武器よさらば』は、実体験と創造、史実とフィクションが見事にブレンドされた作品です。

そういう意味では、ヘミングウェイの作家としての力量が、彼自身の経験を、その筆力によって昇華せしめた作品といえるでしょう。

第一次世界大戦末期のイタリアを背景に進みだすストーリー

物語の舞台は、第一次世界大戦末期のイタリア戦線。

主人公フレデリック・ヘンリーは、建築を学ぶためイタリアに来ていたアメリカ人です。彼は戦争が起きると、自ら志願してイタリア軍で傷病兵を搬送する任務に就きます。物語は全編、このフレデリックの一人称「ぼく」によって語られていきます。

なぜアメリカ人がイタリア軍に、と思うかもしれませんが、あの時代にはありえないことではありませんでした。なぜなら、当時、第一次世界大戦は、拡大を企てるオーストリア・ドイツ連合から、民主主義を守るための「聖戦」であるという空気が漂っていたからです。ここで、第一次世界大戦について簡単に触れておきましょう。

事の発端は、一九一四年六月二十八日、オーストリア＝ハンガリー帝国の皇位継承者であるフェルディナント大公夫妻が、当時オーストリアに併合されていたボスニアの州都サラエボで、セルビア人の民族主義者によって暗殺されたことでした。

暗殺の知らせを受けたオーストリアは、セルビアに宣戦布告。

これに対し、かねてからサラエボが位置するバルカン半島をめぐってオーストリアと対立していたロシアがセルビアに対し、オーストリアと結んでいたドイツがロシアとフランスに対し、それぞれ宣戦布告する形で参戦。さらに、ドイツが中立国だったベルギーに侵攻したことを受けて、イギリスがドイツに宣戦布告。こうして戦いは、またたく間に全ヨーロッパへと波及していったのです。

当初アメリカは中立の立場をとっていました。風向きが変わったきっかけは、ドイツの好戦的な態度に対し世論が批判的な態度を示すようになっていたことに加え、ドイツの「無制限潜水艦作戦」によって、イギリスの豪華客船「ルシタニア号」が撃沈され、多くのアメリカ人乗客の命が失われたことでした。

こうして一九一七年四月、ついにアメリカも参戦します。

その半年後、まるでアメリカと入れ替わるように、ロシアが国内で起きた革命のために停戦、そして講和へと進んでいくことになります。

フレデリックがイタリア軍に入ったのは、一九一五年の夏なので、アメリカが参戦する前、という設定です。一方、作者のヘミングウェイが、イタリア戦線に赴いたのは一九一八年なので、作者と主人公の間には三年ほどのタイムラグがあることになります。

「カポレットの大敗走」を境に狂いだす歯車

一九一七年の春、フレデリックが短い休暇を終え、イタリア北部の前線に戻ってきたとき、同室の外科医リナルディ中尉が「きれいな看護師がいるから会いに行かないか」と誘います。

リナルディはアマルフィ出身のイタリア人ですが、フレデリックとは年齢も近く、二人は無二の親友となっていました。

リナルディに誘われて行ったイギリス軍の病院で、フレデリックはキャサリン・パークリーというイングランド出身の看護師に出会います。長身で金髪、小麦色の肌に灰色の瞳、フレデリックは、一目で彼女の美しさに惹かれます。

二人はすぐに惹かれ合いますが、フレデリックにとってそれはまだ「遊びの恋」に過ぎませんでした。そして、キャサリンもそのことはわかっていました。

そんなある日、フレデリックが最前線の塹壕(ざんごう)にいるとき、迫撃砲の攻撃を受け脚に大怪我を負います。手術を受けるため、野戦病院からミラノのアメリカ赤十字病院に移された彼は、ここでキャサリンと再会します。

彼女も偶然、前線の病院からミラノの病院に派遣されていたのです。

再会した二人の恋は一気に燃え上がっていきました。フレデリックも、もう遊びではありませんでした。心からキャサリンを愛するようになっていたのです。

フレデリックは手術を受け、脚の怪我は回復しますが、回復すればフレデリックは前線に戻らなければなりません。愛し合っていた二人にとって彼の怪我の回復は、別れを意味していたのです。

「カポレットの大敗走」を伝える写真。イタリア軍の戦死傷者は4万人、捕虜25万人

そんなとき、キャサリンの妊娠がわかります。

フレデリックは後ろ髪が引かれる思いのなか、戦況が悪化するカポレットへ赴きます。そして一九一七年十月、イタリア軍は、後に「カポレットの大敗走」といわれる歴史的な大敗を喫します。

多くの兵と物資を失ったイタリア軍は、敗走する中で恐怖からパニック状態に陥ります。そして、些細なことで「こいつは敵のスパイなのではないか」という疑いを抱くようになり、疑った相手を次々と殺していったのです。

フレデリックも「こいつのイタリア語には変な訛り(なま)がある」というくだらない理由で憲兵に捕まります。同じような理由で捕まった者が味方に次々と殺されていき、次は自分が殺されるというとき、フレデリックはわずかな隙をついて逃げだし、川に落ちて流され九死に一生を得ます。そして、岸に流れ着いたときには、彼は再び戦場に戻る気をすっかりなくしていました。

怒りは川の中で、義務感と共に洗い流されていた。もっとも、義務感はもう、憲兵に襟をつかまれたときに消えていたのである。外見はさほど気にならないが、この軍服はなんとか脱ぎ捨てたかった。星章は剝ぎとってしまったけれども、それは便宜上の理由からだった。栄誉がどうこうという問題ではない。ぼくは星章の意義を認めていないわけではないのだから。要するに、ぼくにとってはすべてが終わったのだ。（略）

（『武器よさらば』高見浩 訳／新潮文庫）

隊を離脱し、脱走兵となったフレデリックは、キャサリンに会うことだけを願ってミラノを目指しました。無事ミラノに着いた彼は、軍服を平服に着替え、キャサリンの居場所を探しあて、二人は再会を喜びます。

しかし、喜んでばかりもいられません。ミラノにはフレデリックを知っている人も多く、平服を着ていることに疑問を抱かれ、軍に通報されれば、捕まって処刑されてしまいます。そんなある日の夜更け、フレデリックは泊まっていたホテルのバーテンダーから、明朝あなたを逮捕しに憲兵が来るから逃げたほうがいいと忠告されます。

そのホテルはミラノから一時間ほど行ったところに位置するマジョーレ湖の畔に建っていました。湖の対岸は、中立国のスイスです。二人は、急いで荷物をまとめ、バーテンダーに借りたボートでスイスへ逃亡します。

何とかスイスにたどり着いた二人は、モントルーの街から少し山を登ったところにある山荘で、やっと幸せな日々をすごすのでした。

しかし……。

戦争は勝っても負けても空しい

人類が初めて経験した世界大戦は、十数カ国を巻き込んだ上、毒ガスや戦車、迫撃砲や機関銃といった近代兵器が大量に使用されたことで、人々が考えていた以上に悲惨なものとなりました。

毒ガスや迫撃砲は、攻撃する相手を選びません。敵陣にいるだけで、戦闘員も非戦闘員も区別することなく殺傷してしまいます。そうした無差別攻撃が、今までにないスケールます。

と物量で行われたことで、多くの兵士は、経験したことのない恐怖に直面することになり

もともと戦場というのは、敵だというだけの理由で人殺しが正当化される非日常の世界です。そうしたなかで経験したことのない恐怖を味わった兵士たちは、パニックに陥り、疑心暗鬼に囚われ、本来味方である者までも殺してしまうという悲劇が起きたのです。

主人公フレデリックは、「イタリア語が訛っている」という理不尽な理由で殺されそうになりますが、ヘミングウェイは、こうしたシーンを描くことで、戦場において人間性がいとも簡単に失われてしまうことを伝えているのです。

しかもこうしたことは、創作上の作り話ではなく、実際にカポレットの大敗走で起きた現実でした。

それだけに、イタリア人にとってこのカポレットの大敗は屈辱的なものでした。そのため、その様子を克明に描写した『武器よさらば』は、後のムッソリーニ政権下では、イタリア兵の士気が下がるという理由で発禁本にされてしまっています。

ヘミングウェイの小説には戦争をテーマとした作品が多いのですが、この『武器よさらば』だけでなく、どの作品にも、戦争を、たとえそれが勝利であったとしても、賛美するような記述も、勝利に高揚するようなシーンもありません。これこそが、ヘミングウェイ

の小説が、反戦あるいは厭戦小説と位置づけられている理由です。

人間の心というのは移ろいやすく、周りの空気にも大きく影響されるものです。

実際、キリスト教の敬虔な信者で、聖書学者である文学者、内村鑑三（一八六一〜一九三〇）は、日露戦争前にはあれほど強く開戦に反対していたにもかかわらず、日本が勝ったという知らせを聞いたとき、彼は思わず「帝国万歳」と叫んでしまったといいます。

生涯揺らがなかったヘミングウェイと、一瞬だが揺らいでしまった内村鑑三の違いは、私はやはり、実際の戦場を体験したかしていないかの違いだと思います。内村鑑三も、もし一度でも実際の戦場を体験していれば、「万歳」と叫ぶことはなかったのではないかと思います。

『武器よさらば』では、アメリカ人のフレデリックがどのような思いでイタリア軍に入ったのかははっきりと書かれていません。キャサリンとの初対面のシーンで、「変わってるわね――それなのに、イタリア軍に属しているなんて」「どうしてそういうお仕事をするようになったの？」と聞かれても、「さあね。世の中のことって、何もかも整然と説明がつくわけじゃないと思うけど」としか語っていません。

でも、自国が参戦前のアメリカ人が、何も自ら進んでこの戦争に入る必要はないのですから、そこにはやはりフレデリックなりの強い思いがあったのだと思います。

当時の空気感を考えれば、それはやはり「この戦いは聖戦なんだ」という思いだったのかもしれません。そしておそらくそれは、若き日のヘミングウェイが、第一次世界大戦に身を投じたときの思いと同じだったのだと思います。

しかし、実際の戦場を体験したことで、ヘミングウェイは、戦争に聖戦などなく、勝っても、負けても、戦争にあるのは悲惨な現実だけであり、空しさを痛感します。だからこそヘミングウェイは、一貫して戦争の悲惨さを描き続けたのではないでしょうか。

二十世紀の悲劇「生の不条理」

戦争の悲惨さともう一つ、ヘミングウェイが『武器よさらば』に込めたメッセージが「生の不条理」です。

人生というのは不条理に満ちています。

人生には本人にはどうしようもないこと、筋の通らない不幸や不運が常に待ち受けています。そうした悲運は、いつどこでどのような形で起きるかわかりません。つまり、生きている限り、どこで自分の人生が踏みにじられてしまうかわからないのです。

事実、フレデリックは、戦争という悲劇から逃れ、キャサリンと幸せな生活を送るなかで、突如、個人としての悲劇に見舞われることになります。彼がどのような不幸に見舞われるのかは、みなさんの読書の楽しみを奪わないように詳しくは述べませんが、人は生きている限り、不条理から逃れられないということを、ヘミングウェイはこの作品の中でフレデリックに語らせています。

（略）人間とはそういうものなのだ。人間は死ぬ。死ぬとはどういうことかも、わからないうちに。知る時間も与えられないうちに。人間は偶然この世に放り出され、ルールを告げられ、最初にベースを踏み外したところを見つかったとたんに、殺されてしまう。もしくはアイモがそうだったように。何のいわれもなく殺されてしまう。もしくはリナルディのように梅毒をうつされる。けれども、結局は殺されるのだ。それはまず間違いない。のらくらしているうちに殺されてしまう。

（『武器よさらば』高見浩 訳／新潮文庫）

新潮文庫の『武器よさらば』の訳者、高見浩氏は、「解説」の中でヘミングウェイは「生の不条理に敗れ去る人間の普遍的な悲劇を、独特の簡潔な筆致で情感豊かに書いて見せた」と書いておられましたが、まさにそのとおりだと思います。

戦争は愚かな行為です。そして、その愚かな戦争に勝っても負けても、それによって人の幸不幸が決まるわけではありません。人間はみな、いつかは死ぬ存在である以上、いつどんなときでも、愛する人を失うかもしれないし、自分が死ぬかもしれない。

「死」を避けられないという意味では、人間は、個人としての人生に敗れ去ることが最初から決まっているという、「不条理」を運命づけられた存在だということです。

現実の悲劇は、たいていが不条理なものなので、こうした不条理さに特に疑問を抱かないかもしれませんが、実は「不条理」な悲劇は、二十世紀以降に着目された新しい悲劇の形なのです。それ以前の悲劇には「条理」が存在していました。

たとえば、ギリシア悲劇では、悲劇の要因は、ほとんどの場合、勝利によっておごり高ぶった者の心に生じた「ヒュブリス／傲慢」です。ヒュブリスに陥った人間が、恨まれたり、神の怒りを買ったりすることで、悲劇に見舞われるのです。

このように、勝者がヒュブリスになったが故に悲劇に見舞われるというのが、ギリシア悲劇の基本的なモチーフです。

ところが、ヘミングウェイが描いている悲劇は、もちろん戦争そのものの悲惨さもあるのですが、それだけではありません。彼は、それまでの時代には、「神」という人知を超えた存在を介在させることで解決してきた「生の不条理」を、あるがままの不条理として受け入れ、その問題と向き合ったのです。

その証拠に、フレデリックは、どんな不条理に見舞われても、一度も「神」という言葉を口にしていません。自分の不幸に怒り神を呪うこともなければ、不条理な悲しみの前で神に救いを求めることもしません。一人の人間として、彼はただ、目の前の現実と向き合っているのです。

ロストジェネレーション文学と実存主義

では、なぜヘミングウェイは、こうした「生の不条理」に着目したのでしょう。

それは、彼が生きた時代と深く関わっています。ヘミングウェイの世代は、「ロストジェネレーション／失われた世代」と呼ばれています。

この言葉は、一九二〇年代に、パリにいたヘミングウェイに対し、アメリカの著述家ガートルード・スタイン（一八七四〜一九四六）が投げかけた言葉「You are all a lost generation.／あなたたちは皆、失われた世代なのよ」から生まれた言葉です。

ヘミングウェイが、『日はまた昇る』のエピグラフに引用したことでこの言葉は有名になり、彼と同時代に活躍したF・スコット・フィッツジェラルドやウィリアム・フォークナーなどのアメリカ人作家たちの作品が、ロストジェネレーション文学と呼ばれるようになりました。

確かにヘミングウェイは、第一次世界大戦で、多くのものを失っています。ロストジェネレーション文学は、既存の価値を見失い、絶望と虚無に陥った世代の文学といわれていますが、ヘミングウェイが作品に「生の不条理」を描いたのも、そうした自身の経験した喪失感に起因しているのでしょう。

とはいえ、ヘミングウェイは不条理の前に屈服したわけではありません。

この「不条理」という言葉は、ジャン＝ポール・サルトル（一九〇五～一九八〇）など実存主義者たちが好んで使った言葉です。ヘミングウェイとサルトルは、年齢的に近いので、もしかしたら、当時多くの文人や哲学者たちが集まっていたパリのドゥ・マゴあたりで意見を交わしていたかもしれません。

ヘミングウェイは、小説という世界を用いて、不条理な世の中で、どう生きていくべきなのかという問題と向き合い、サルトルは、哲学の世界で「生の不条理」をどのように解決していくべきなのかという問題に取り組んだのではないでしょうか。

この歳になって『武器よさらば』を再読し、ふとそんなことを考えました。

20/20

カミュ

Albert Camus（1913〜1960）。フランスの小説家・哲学者。フランスの植民地であったアルジェリアで生まれる。苦学して大学卒業後、反政府運動の末にアルジェリアを追放され、ドイツ占領下のパリなど各地を転々としながら作家として活動。サルトルとの論争でも知られる、実存主義の哲学者でもあった。

おそらくどの時代も、自分たちは世界を作り直すことに身を捧げているのだと、それぞれに信じていることでしょう。ところが私の世代は、自分たちが世界を作り直すことはあるまいと知っているのです。たぶん、私の世代に課せられた任務はもっと大きなものです。それは世界の解体を防ぐことにあるのです。

アルベール・カミュ（1913〜1960）
『カミュ 全集 9』「スウェーデンでの演説」より

『ペスト』はアルジェリアのオランを舞台に、題名のとおり「ペスト」感染拡大下の市井（しせい）をまるでドキュメンタリーのように迫真の筆致で描いた、カミュの二作目にあたる小説である。ペスト菌という目に見えぬ敵を前に、人々は疑心暗鬼にかられ、宗教に救いを求め、迷信を信じ込み、感染予防を目的にハッカドロップが買い占められる……。「見えぬ敵」との戦い、それは単に肉眼で見えぬほどに小さな菌との戦いにとどまることはあるまい。

「不条理」を描いた作家カミュが選んだ「ペスト」という題材

『ペスト／La Peste』は、フランスの作家、アルベール・カミュ（一九一三〜一九六〇）の代表作といえる作品です。

カミュは、実存主義の哲学者としても知られています。同じく実存主義の哲学者、ジャン＝ポール・サルトルも、『嘔吐』などの小説を書いていますが、小説の出来栄えという点ではカミュのほうが一枚上手です。

カミュというと、『異邦人／L'Étranger』（一九四二）の知名度が高いですが、私は作品としては『ペスト』のほうが圧倒的に素晴らしいと思っています。

『ペスト』が出版されたのは、第二次世界大戦終結後間もない一九四七年ですが、その執筆は、大戦の最中の一九四二年から始まっていました。当時カミュは結核に苦しんでおり、南フランスの高地で療養しながらの執筆でした。体調が回復すると、解放前のパリへ移り、対ドイツ抵抗組織の地下新聞「コンバ（闘争）」の編集に携わりながら、書き進めていきました。

こうして第二次世界大戦下で書かれた『ペスト』は、出版されるやいなや、フランス国内でベストセラーを記録し、各国語に翻訳され好評を博しました。

私が最初に『ペスト』を読んだのは、ずいぶん若いときです。はっきりとは覚えていないのですが、高校生か、大学生になったばかりのときだったと思います。

読んだ時期ははっきりしませんが、読んだときの衝撃は、今も鮮明に覚えています。若造が生意気な、と思われるかもしれませんが、あのとき私は、「これはドストエフスキーに並ぶ名作だ！」と思ったのです。

『ペスト』という作品は、とても簡潔な筆致で、要はわかりやすく書かれているのですが、その簡潔な文章がもたらす緊迫感や、短い言葉に込められた濃密な意味が、強く心を揺さぶり強烈な印象をもたらしていたのです。

カミュは『異邦人』をはじめ、人間の「不条理」を描いた作家として知られていますが、『ペスト』において「人間は、限界状況に追い込まれていったとき、どのような思いを抱き、どのような行動をするのか」と、われわれに問いかけます。

限界状況としては、戦争や災害など、さまざまなものが考えられますが、カミュは、「ペスト」という疫病を選びました。

『ペスト』は、批評家の評判も良かったのですが、それ以上に大衆の評判が良かったといわれています。

それはおそらく、大衆のほとんどが、第二次世界大戦で悲惨な状況を経験していたからではないでしょうか。物語はペストという疫病がもたらした限界状況を描いているのですが、題材は違えど、共通する苦しみや悩み、問題を包含します。そういう意味で、当時の大衆にとって『ペスト』は、それぞれが経験した「限界状況」に通じるものがあり、リアリティと共感を得やすかったのだと思います。

そして今、世界中は新型コロナウィルス感染症（COVID-19）によるパンデミックという限界状況の最中にあります。二〇二〇年、多くの人がこのカミュの『ペスト』を手に取ったのも頷（うなず）けます。

決断の先送りで、急増する死者

物語の設定は一九四X年。

当時、フランス領だったアルジェリアのオランという港町で、ある日突然起きた小さな奇異。その異変に最初に気づいたのは、この街の医師ベルナール・リウーでした。

四月十六日の朝、リウーは診療室から出ようとしたとき、一匹のネズミの死骸につまずきます。違和感を覚えたリウーは、門番のミッシェル老人に注意しますが、彼は、この建物にネズミはいないので、誰かのいたずらに違いないと言って取り合いません。

しかし、同じ日の夕方、リウーはアパートの廊下でまたもや異様なネズミが目に入ります。よろよろと歩いていたかと思うと、急に駆けだし立ち止まる、小さな鳴き声をたてながらきりきり舞いし、最後には血を吐いて息絶えました。

さらにその翌日。一年来病気を患っていた妻が、山に転地療養に向かうのを見送るために駅に行ったとき、リウーは、駅員が死んだネズミがいっぱい入った箱を抱えて通りすぎるのを目にします。

それから十日程過ぎた頃、リウーは老門番ミッシェルの体調不良を知ります。はっきりとした原因がわからないまま、四月三十日、老門番は苦しみながら亡くなりました。

そして、この日以降、街には熱病患者が増加していきます。しかもそれはただの高熱ではありませんでした。彼らは「鼠径部を押さえ、熱にうかされながら吐瀉しつづけ」リンパ腺は腫れ上がり、その膿瘍を切開すると血の混じった膿が悪臭とともに流れ出るのです。多くの患者が、すさまじい悪臭の中で亡くなっていきました。

この病が流行病であることが明らかになってきたとき、カステルという年輩の医師がリウーのもとを訪れ、二人はこの流行病が「ペスト」である可能性が高いことを確認し合います。

もし、これが本当にペストなら、一刻も早く手を打たなければなりません。そこでリウーとカステルは、県庁に保健委員会を召集してもらい、一刻も早く手を打つよう要請します。しかし、知事はこの病がペストであると断定できない状況での公表を、自分たちが責任を負わなければならない、という理由で渋ります。

結局、この段階で当局が発表したのは、「悪性の熱病が出ているが、それは少数なので不安を感じる必要はない、それでも知事は用心深く若干の予防的措置を講じる」という程度のものでした。

その結果、リウーが案じたように、流行病は蔓延していきます。

たまりかねたリウーは、再度知事に充分な措置をとるよう要請しますが、知事は「総督府の命令を仰ぐことにしましょう」と決断を先送りにしてしまいます。そうしているうちにも死者数は急増の一途をたどります。

そうなってようやく、総督府から電文で「ペスト地区たることを宣言し、市を閉鎖せよ」という命が下されたのでした。これにより、市は一切の出入りが禁じられました。海路も陸路もすべて閉ざされ、人の出入りはもちろん、郵便物のやりとりも禁じられました。電話は回線がパンクしたことで禁止され、個人に唯一許された外部との連絡手段は、わずか一〇語の電文だけでした。

ペストが蔓延する都市の中に封じ込められるという限界状況で、登場人物それぞれの戦いが始まっていきます。

ペストの原因は病原菌だとわかっている時代

カミュは、この物語の語り手が誰だか明らかにしないまま話を進めていきます。最初のほうで唯一わかっているのは、この話が、ジャン・タルーという人物の手帳に書かれた記録に依るところが大きいということだけです。

タルーはオランの住人ではありません。ペストの一件が起きる数週間前にやってきて、街の中央にある大ホテルに住むようになった男でした。収入は多いらしく、かなり楽な生活をしていましたが、彼が何の仕事をしているのか、どこから来たのか、何の目的があってオランに来たのか、誰も知る人はいませんでした。

封鎖された街の中で、どのようなことが起き、人々はどのようなことを思い、どのように対処していったのか。タルーの手帳は、その貴重な記録でした。

街の封鎖は、命令が届くと即時に行われたため、多くの人々が家族なのに市内と市外に引き離されてしまいました。

この状況のなか、何とかして外に出ようと手を尽くしたのが、パリからやってきた新聞記者のランベールでした。彼はたまたまオランに来ていた外部の人で、パリには恋人が待っていました。一刻も早く外に出たい彼は、リウーに自分が感染していないことを示す証明書を書いてくれと頼みます。

しかし、リウーは、「あなたのような事情の人が何千人もいます」と言い、公共の利益のために、感染の可能性のある人を外に出すことはできないと断ります。

そんなリウーをランベールは、「あなたのいっているのは、理性の言葉だ。あなたは抽象の世界にいる」と非難します。

しかし、そんなランベールも、タルーからリウーの妻が街の外にいることを告げられたことで、考えを変えていきます。

街を封鎖した後も患者は増え続け、医師のリウーの仕事は過酷さを増していきます。なかでも彼にとってもっとも辛かったのが、患者を家族から引き離すことでした。罹患者の隔離は、医師の立場からすれば当然のことでしたが、助かる見込みがないなか、「結末のわかりきっている別離よりはむしろペストと顔突き合わしていることのほうがいい」とする家族が多かったのです。

当初はそんな家族の心情に同情していたリウーも、あまりにもその数が多くなると、疲れ果て、心の扉がおのずから閉じていくのを感じるようになります。

そんなリウーの負担を減らすために、協力を申し出たのが、タルーでした。彼は志願者を募り私設の保健隊を組織し、リウーの仕事を助けました。

助ける者がいる一方で、医学的アプローチに疑いの目を向ける者もいました。

たとえば、神父のパヌルーは、ペストは人間の悪行に対する神の罰だと信じ、正しい心を持っていればペストにかかることはないのだから、治療そのものより信仰が大切だと人々に説きました。

当時すでに、ペストの原因は、ネズミを宿主とする病原菌による伝染病だということがわかっていましたが、自分たちがなぜこのような災難に見舞われたのか、その理由を求めていた人々は神父の言葉を受け入れてしまうのでした。
ところが、ある日、何の穢れもない幼児がペストにかかって亡くなってしまったこと
で、パヌルー神父は、説明がつかなくなって動揺します。そうしたなか、パヌルー神父は
自らがペストにかかったことを知ります。それでも、敬虔なクリスチャンである彼は、自
らの信念を貫き、医師の診察を拒み亡くなります。

絶望的な状況下で交錯する人々の思いと行動

ペストを軽視する人、恐れる人、市外に出ようとする人、家に籠もる人。宗教にすがる
人、ペストにかかる人、かからない人。さまざまな立場の人の思いと行動が交錯するなか
で、リウーはタルーに尋ねます。

「いったい何があなたをそうさせるんです、こんなことにまで頭を突っ込むなんて」

「知りませんね。ぼくの道徳ですかね、あるいは」

「どんな道徳です、つまり？」

「理解すること、です」

（『ペスト』宮崎嶺雄 訳／新潮文庫）

こうした限界状況では、その災害をできるだけ軽くするために、「人間相互の共感」をもって連帯していくことが大切です。そのためには、気づいた者から率先して動いていくしかありません。

事実、私設の保健隊の費用も、タルーの個人資産で始まっています。

タルーはそのことを、言葉だけでなく、彼自身が率先して動くという「行動」でみんなに教えていきます。

物語の中では、この後、タルーがなぜここまで献身的に行動するのか、謎だった彼の過去が、本人によって語られていきます。

十二月に入り、ペストは腺ペストから肺ペストへと病理を変えながら進行し続け、リウーとタルーの仕事も忙しく続いていました。

ところが、絶望的な状態にあるように見えた患者たちが、突然回復するようになります。ちょうどその頃、街では四月以来、死骸しか見なかったネズミたちの走り回る姿が見られるようになっていきます。

ペスト終息の兆しでした。

年が明けると、状況はさらに好転し、一月二十五日、ついにペストの終息が宣言されます。人々が歓喜に沸き返り、封鎖が解かれる日が間近に近づくなか、リウーのもとにタルーの具合が良くないという知らせが届きます。

リウーは、隔離しなければならないという禁を破り、タルーを自宅に引き取り治療しますが、治療の甲斐なくタルーは亡くなってしまいます。リウーが、友を見送った翌朝、彼はもう一つの悲報を受け取ります。それは、療養中の妻の死を伝える電文でした。

二月のある晴れた朝、ついに市の門が開かれ、人々は花火を打ち上げて、街は祝祭の空気に包まれるのでした。

『異邦人』とは違う形で描かれた「不条理の哲学」

カミュは、この物語を次のような言葉で結んでいます。

事実、市中（まち）から立ち上る喜悦の叫びに耳を傾けながら、リウーはこの喜悦が常に脅（おび）やかされていることを思い出していた。なぜなら、彼はこの歓喜する群衆の知らないでいることを知っており、そして書物のなかに読まれうることを知っていたからである――ペスト菌は決して死ぬことも消滅することもないものであり、数十年の間、家具や下着類のなかに眠りつつ生存することができ、部屋や穴倉やトランクやハンカチや反古（ほご）のなかに、しんぼう強く待ち続けていて、そしておそらくはいつか、人間に不幸と教訓をもたらすために、ペストが再びその鼠（ねずみ）どもを呼びさまし、どこかの幸福な都市に彼らを死なせに差し向ける日が来るであろうということを。

（『ペスト』宮崎嶺雄 訳／新潮文庫）

人は人生の中で、さまざまな不条理に遭遇します。戦争、病、事故、天災等々。そうした災難は、いつ起きるかわからないし、終わったように見えても、いつまたそれが降りかかってくるかわかりません。そうした不条理をカミュは、ペストを象徴的に用いることで見事に表現しました。

カミュは、『ペスト』において、こうした「不条理の哲学」を強調していますが、彼のもう一つの名作『異邦人』の中では、自らに対して誠実であること、つまり神をなくした人間が、自分の力を信じ、自己を確立することによって、自分を回復させるという、ある意味で非常に個人主義的な哲学を示しています。

つまり、『異邦人』では、自己に対してだけは常に誠実であれ、という実存主義者であるカミュの思想的足場が見えるのに対して、『ペスト』では、個人だけではどうにもできないものの存在を示すことで、人々の連帯感にもとづく共感のもと、人々が絆を結び、協力し合うことの大切さを説いたのでしょう。

二十世紀は、フリードリッヒ・ニーチェ（一八四四～一九〇〇）の「神は死んだ」という言葉に象徴されるように、人間が思想の面で神からの自立を目指した時代だといえます。

その結果、無神論者的になり、神をなくした、あるいは神を否定した人間に対してカミュは、まず自分に対する誠実さの必要性を説き、しかし、それだけではどこかで破綻してしまう、だから、人間同士が連帯感を共有して協力し合い、行動することが同時に必要なのだ、ということをリウーとタルーという二人の人物の「行動」によって示したのでしょう。

物語のラストでカミュは、ペストは終息したように見えても、決してこれでハッピーエンドが約束されたわけではない、こうした危機は、いつまた起きるかわからないという警鐘を鳴らしています。

ペストが不条理の象徴であることを考えれば、この言葉は単にペスト菌のことをいっているだけではないことは明らかです。

おそらくカミュは、神なき時代に生きる人々に、いざというときに行動できるように、常に他者に対する「共感」と「連帯」を持つことの大切さを自覚して、生きていかなければならない、それを作品に込めたのだと思います。

二十世紀の小説は理屈っぽい？

本書執筆を機に、ヘミングウェイの『武器よさらば』と、カミュの『ペスト』を立て続けに読んだことで、私はそれまでは意識していなかったのですが、両者が実によく繋がっていることに気づきました。

「不条理」に対する思い、ということもあるのですが、それを抜きにしても、どうも二十世紀の小説には、それまでの時代にはない「理屈っぽさ」が感じられたのです。

十九世紀の作家であるバルザックやディケンズの作品には、小説としての純粋な面白さがありました。物語性に富み、とにかく次のページをめくりたくてめくりたくて堪らなくなるような面白さがあるのです。残念ながら、二十世紀の小説には、そうした高揚感はありません。

二十世紀の小説から理屈っぽさを感じる最大の原因は、「神は死んだ」という言葉に象徴されているように、人間の力の及ばぬ大いなる力というものを、人々が信じきれなくなったからだと思います。

十九世紀の小説は、近代になったとはいえ、まだ心の中には「神様お願いします。助けてください」というすがる情があるのです。もちろんそれは、作家それぞれの信仰心の強さによっても異なってくるのですが、程度の差こそあれ、やはり神を否定してはいないのです。

しかし、二十世紀になると、特にインテリといわれる人々は、そうしたものを純粋に心から信じられなくなったために、物語を面白さだけでは描けなくなってしまったのです。それが、なんとなく理屈っぽくなっている理由だと思います。

そういう意味では、やはり「神は死んだ」というのは、単に哲学の世界の思想にとどまらず、二十世紀という時代を特徴付ける思想といえるものなのです。

人類の歴史を見ていくと、人間にとっての大敵は、長い間「戦争」と「飢饉」と「疫病」の三つだったといえます。

それが二十世紀後半になると、科学と医学の発達によって少なくとも先進諸国においては克服されたのです。

こうした時代の分岐点となったのは、ひたすら神を信じていた人間が、神に頼らず、自分たちの生き方を探っていくようになったことであり、それを見事に表現したのが、ニーチェの「神は死んだ」という言葉なのだと思います。

では、これからの二十一世紀の小説はどのようなものになっていくのでしょうか。

そのことを予感させたのが、小説ではありませんが、イスラエルの歴史学者・哲学者であるユヴァル・ノア・ハラリ（一九七六〜）の『ホモ・デウス テクノロジーとサピエンスの未来／Homo Deus: A Brief History of Tomorrow』（上下巻、河出書房新社）です。

「ホモ・デウス」というタイトルが示しているように、この本の中で語られているのは、人間が神の存在に近づいている二十一世紀の現状です。

現在、ＡＩ（人工知能）技術は、ディープラーニングをはじめとする技術革新がつづいており、分野によってはすでに人知を凌駕（りょうが）しつつあります。また遺伝子操作の技術の進歩は、すでに神の領域に及びはじめています。こうした分野がこのまま進んでいった先にあるのは、人間そのものが神になっていく世界だと、ハラリはいいます。

神でも科学でも克服できなかった、人々の眼前にある「不条理」を浮き彫りにしたカミュは、「人間の中には軽蔑すべきものよりも賛美すべきものの方が多くある」とも書いています。

おわりに

何千冊、何万冊と所蔵していても、個人がじっくり読める本はせいぜい四〇〇冊ぐらいではないかと聞いたことがあります。たしかに熟読した本が一年で一〇冊だとしても、四十年はかかるわけです。そうだとしたら、その四〇〇冊のなかに、できるだけ古典といわれる名作を加えておくのが賢明ではないでしょうか。久しく世に読み継がれてきた名作古典をじっくり味わえば、ずっしりと重厚な経験として刻まれるでしょう。それは心のなかに、どことなく余裕をもたらしてくれるはずです。

おびただしい情報を処理するために、せわしく多読・乱読しても、それらが身につくことはほとんどありません。これは経験からわかることであり、それなら名作古典に親しむことがなによりも大切ではないでしょうか。

本書は、『馬の世界史』『競馬の世界史』『裕次郎』につづいて、筆者が趣味の本として公刊したかったものの一冊であります。それだけに楽しみながら作業することができました。なかでも板垣晴己さんにはひとかたならぬ御協力をいただき感謝にたえません。

二〇二一年七月十七日（石原裕次郎の命日に）

本村凌二

底本・参考文献

01 ホメロス『イリアス』『オデュッセイア』
『イーリアス』上・中・下／ホメーロス／呉茂一 訳／岩波文庫
『オデュッセイア』上・下／ホメロス／松平千秋 訳／岩波文庫
02 司馬遷『史記列伝』
『史記』上・中・下／司馬遷／野口定男・近藤光男・頼惟勤・吉田光邦 訳／
平凡社版中国の古典シリーズ1
03 プルタルコス『英雄伝』
『プルタルコス英雄伝』上・中・下／プルタルコス／村川堅太郎 編／ちくま学芸文庫
04 羅貫中『三国志演義』
『三国志演義』一〜四／井波律子 訳／講談社学術文庫
05 ダンテ『神曲』
『神曲』地獄篇・煉獄篇・天国篇／ダンテ／平川祐弘 訳／河出文庫
参考図書『イタリア・ルネサンスの文化』上／ヤーコプ・ブルクハルト／新井靖一 訳／ちくま学芸文庫
06 ボッカッチョ『デカメロン』
『デカメロン』上・中・下／ボッカッチョ／平川祐弘 訳／河出文庫
07 セルバンテス『ドン・キホーテ』
『ドン・キホーテ』前篇(一〜三)後編(一〜三)／セルバンテス／牛島信明 訳／岩波文庫
08『アラビアンナイト』
『アラビアンナイト』上・下／ディクソン編／中野好夫 訳／岩波少年文庫
参考図書『オリエンタリズム』上／エドワード・W・サイード／今沢紀子 訳／
板垣雄三、杉田英明 監／平凡社
09 シェイクスピア『ハムレット』
『ハムレット』シェイクスピア／野島秀勝 訳／岩波文庫
10 デフォー『ロビンソン・クルーソー』
『ロビンソン・クルーソー』上・下／デフォー／平井正穂 訳／岩波文庫
11 ゲーテ『ファウスト』
『ファウスト』第一部・第二部／ゲーテ／池内紀 訳／集英社文庫ヘリテージシリーズ
12 バルザック『ゴリオ爺さん』
『ゴリオ爺さん』バルザック／中村佳子 訳／光文社古典新訳文庫
参考図書『世界の十大小説』上／W・S・モーム／西川正身 訳／岩波文庫
13 ディケンズ『大いなる遺産』
『大いなる遺産』上・下／ディケンズ／石塚裕子 訳／岩波文庫
14 トルストイ『戦争と平和』
『戦争と平和』1〜6／トルストイ／藤沼貴 訳／岩波文庫
参考図書『世界の十大小説』下／W・S・モーム／西川正身 訳／岩波文庫
15 ドストエフスキー『カラマーゾフの兄弟』
『カラマーゾフの兄弟』上・中・下／ドストエフスキー／原卓也 訳／新潮文庫
参考図書『世界の十大小説』下／W・S・モーム／西川正身 訳／岩波文庫
16 島崎藤村『夜明け前』
『夜明け前』第一部上・下　第二部上・下／島崎藤村／岩波文庫
17 ランペドゥーサ『山猫』
『山猫』G・T・ランペドゥーサ／佐藤朔 訳／河出文庫
18 魯迅『阿Q正伝』
『阿Q正伝・狂人日記　他十二篇(吶喊)』魯迅／竹内好 訳／岩波文庫
参考図書『魯迅の思い出』内山完造／社会思想社
19 ヘミングウェイ『武器よさらば』
『武器よさらば』ヘミングウェイ／高見浩 訳／新潮文庫
20 カミュ『ペスト』
『ペスト』カミュ／宮崎嶺雄 訳／新潮文庫
その他参考図書
『名著で読む世界史120』池田嘉郎・上野愼也・村上衛・森本一夫 編／山川出版社

著者略歴

本村凌二（もとむら　りょうじ）

東京大学名誉教授。博士（文学）。1947年、熊本県生まれ。1973年、一橋大学社会学部卒業。1980年、東京大学大学院人文科学研究科博士課程満期退学。東京大学教養学部教授、同大学院総合文化研究科教授などを経て、早稲田大学国際教養学部特任教授を2018年3月末に退職。専門は古代ローマ史。『薄闇のローマ世界』でサントリー学芸賞、『馬の世界史』でJRA賞馬事文化賞、一連の業績にて地中海学会賞を受賞。

著書に『地中海世界とローマ帝国』『愛欲のローマ史』（以上、講談社学術文庫）、『多神教と一神教』（岩波新書）、『ローマ帝国 人物列伝』（祥伝社新書）、『競馬の世界史』『世界史の叡智』（以上、中公新書）、『独裁の世界史』（NHK出版新書）、『教養としての「世界史」の読み方』『教養としての「ローマ史」の読み方』（以上、PHPエディターズ・グループ）などがある。

カバー・本文写真：ユニフォトプレス

装幀：西垂水敦・松山千尋（krran）

編集協力：板垣晴己

20の古典で読み解く世界史

2021年8月31日　第1版第1刷発行

2021年10月26日　第1版第2刷発行

著　者　本村凌二

発行者　岡　修平

発行所　株式会社PHPエディターズ・グループ

〒135-0061　江東区豊洲5-6-52

☎03-6204-2931

http://www.peg.co.jp/

発売元　株式会社PHP研究所

東京本部　〒135-8137　江東区豊洲5-6-52

普及部　☎03-3520-9630

京都本部　〒601-8411　京都市南区西九条北ノ内町11

PHP INTERFACE　https://www.php.co.jp/

印刷所
製本所　図書印刷株式会社

ISBN978-4-569-84920-1